JN111915

原始の感覚を取り戻す知覚と精神のトレーニング

WILD QUEST

ワイルド・クエスト
—ネイティブアメリカンの
フルサバイバル術

WILD AND NATIVE
川口 拓

誠文堂新光社

足を守ってくれている頑丈なブーツを脱いで、裸足で森を歩いてみる。ケガに注意する必要があるが、だからこそ足裏の感覚がより鋭くなり、肌から多くの情報を得ることができる

自然にあるものだけを使い、シェルターを作り、火をおこす。サバイバルのために必要な技術を身に付けるたびに、自然への敬意と感謝が深くなる。自然には全てがあるのだと気づかされるのだ

何もないように見える中から獲物が残した痕跡を探し出し、その獲物がいまどこで何をしているかを推測し、そして追跡するトラッキングには、高度で複合的な技術が必要になる。それを学ぶのが楽しい

野草はサバイバル食の王様だ。野に育つ草花には、自然のエネルギーが詰まっている。それらを食す方法や、薬草として利用する方法を知っていれば、その恩恵を受けることができる

はじめに

自然の中で、ナイフ1本で生き延びることのできる、たくましい男になりたい。そんな漠然とした目的を内に秘めて、あちこちを回り辿り着いたのは、アメリカ・ニュージャージー州にあるトラッカースクールというサバイバルスクール。後に私が勝手に〝師匠〟と仰ぐ、トム・ブラウン・ジュニア氏が創設したネイティブアメリカンの野外技術や自然の教えが学べる学校だ。

そのトラッカースクールの存在を私が知ったのは、ランボーに憧れてカナダに渡り、4ヵ月に渡るアウトドアトレーニングプログラムに参加したときだった。「トム・ブラウン・ジュニアという男は、ネイティブアメリカン、アパッチ族直伝のサバイバルスキルを持っている。どんな場所でも、自然を壊すことなく、何も持たずにサバイバルできるらしい」。当時はネイティブアメリカンに対する興味もとくになかったけれども、そんな話を聞いて無性にそのスクールに惹かれてしまった。それでカナダでのプログラムを修了後、一度日本へ帰国。アルバイトをして資金を貯め再度日本を離れ、念願のトラッカースクールへ辿り着いた。

カナダでの経験はとても貴重な体験ではあったが、過酷な面もあった。私以外の参加者は全員経験者で、精神的なプレッシャーもあったし、恥ずかしい話、カレンダーに毎日×印をつけていたくらいだった。けれどもその経験は、私にある程度の自信を与えてくれた。だから、そのプログラムで使用した装備で身を固め、山岳用の大きなバックパック、フリース、ゴアテックス、その他使い慣れたギアを誇らしげに持ち、バッチリ決めたつもりでトラッカースクールへ向かった。今考えれば、若かった私は道場破り的な気持ちさえ持っていたのかもしれない。加えて、事前にトム・ブラウン・ジュニアの著書を読み、彼に対する憧れは一層膨らんでいた。そんな憧れの人に認められたい気持ちもあったのかもしれない。とにかく、最高にお洒落をして、トムに会いに行ったのである。

スクールに着き、受付を済ませる。まず初めに受講しなければならない「スタンダードコース」は、森ではなく牧場のようなところで行われる。とにかく生のトム・ブラウン・ジュニアを早く見たい！　私はバックパックも下ろさずにあたりを見回し、彼の姿を探した。いた！　数十ｍ先のちょっと丘のようになっている場所で、地面に座っている。

「おお！　本物だ！」と、もちろん感激したわけだが、それよりも衝撃だったのは彼の格好だった。タンクトップにジーンズ、そして裸足。野外活動ではタブーと言われている格好そのままの出立ちだったのである。だが、その姿は格好よかった。とてつもなく格好よかった。同時に、さっきまで凄く格好いいと思っていた自分の装備が、なんだかこの上なく恥ずかしくなった。自分は何を怖がっているのだろう？　大して寒くもないのにフリースにゴアテックス、ゴツいブーツ。それに対してトムは、躊躇なく思い切り自然と向き合い、なんだか体全体で自然と対話しているような、そんな印象さえ受けた。

装備をしっかりと固めることはとても大切なことだし、そういうサバイバル術こそが機能する場面もたくさんある。ただ、何の根拠もなかったけれども、少なくともそのときの私にとっては、私でなく、トムの服装が「正しく」感じられて仕方がなかった。

サバイバル術は多岐に渡るべきものであり、だからこそさまざまな状況で機能するのだと思う。そういう意味では「正しい」と定義すること自体が正しくないのだと思う。だが、この本を通じて、なぜ私が彼の服装を「正しい」と感じたのか、そのイメージを皆さんと共有できればと思う。

川口　拓

CONTENTS

CHAPTER 3
原始の狩りと野草 136

CHAPTER 4

ヒーリング 208

本書で行った取材はすべて地権者の許可を得ております。焚き火をする際は、延焼を防ぐ措置を徹底したうえで楽しんでください

CHAPTER 1

Awareness

感覚トレーニング

現代人が忘れてしまった感覚とは？

感覚＝アウェアネス

まず最初に、サバイバルにおけるアウェアネスの大切さを話したいと思う。アウェアネスとは、簡単にいえば「感覚の力」である。

人間の「感覚」というと、視覚、嗅覚、聴覚、味覚、触覚の五感が思い浮かぶかもしれないが、そう表現するとそれぞれの感覚が別のものであり、限定されている印象を受けてしまう。しかし、私が知る「感覚の力」は、5つに分けられたりするものではないので、話を進めるにあたってはあくまで「感覚の力」という言葉を使わせていただこうと思う。

なぜサバイバルで「感覚の力」が必要になるのか、ピンとこない人もいるだろう。そこでまず理解していただきたいのが、自然の力の大きさである。太陽の熱量と明るさ、風の力、潮の満ち引き、地震など、人間が持つ技術によって得られる大きさをはるかに超えるエネルギーを自然は日々生み出している。世界最高のソーラーシステムを作ろうとした学者が、莫大な費用と時間を費やした末、植物以上のシステムは作れないし、作る必要もないと言って研究をやめてしまったという話があるそうだが、確かに太陽光によって酸素を作りだし、自らの体内にはエネルギーを生成する植物は、人間の英知を超えるメカニズムを持っていると言っていいだろう。

文明の利器を持たず原始的な生活を営む人々は、こうした自然の力をいやというほど感じながら毎日を過ごしている。だから、自然を変えたり支配したりするのではなく、自分が自然に合わせな

いかに最先端の技術でも、自然が作り出すメカニズムには到底及ばない。ネイティブアメリカンの人々はそのことを理解しており、自然を感じ取り、自然とともに暮らす生き方を尊重した

いと生き延びることができないことをわかっていた。そのため必要とされたのが、自然をきめ細かく感じ取り、そこに自分を合わせていく力、アウェアネスだ。自然と同調するためには、風の向きや強さ、温かさや冷たさ、土の温度、土が含む湿気の量、太陽の動きなど、幾千幾万もの自然の現象を感じる力、そしてそこに順応していく力が必要不可欠だったのである。

アウェアネスを取り戻すメリットと楽しさ

残念ながら、便利な道具がたくさんある現代生活ではアウェアネスが豊かである必要はない。しかし、私はアウェアネスを育むことはとても大切なことだと思っている。

こんな話を紹介しよう。あるネイティブアメリカンのおじいさんと子どもが散歩をしていたときに、ウサギたちが草を食んでいる場所を通りかかったそうだ。ウサギたちは周囲に捕食動物がいないか常に用心して、ときおり耳をそば立てたり周囲を見渡したりしていた。それを見た子どもは、「ああやって、食べるときも敵を恐れ周りを気にしなくてはならないなんて、ウサギはかわいそうだね」と言ったそうである。しかし、それを聞いたおじいさんは、「確かにそうかもしれない。けれど、そうやって音を聞いたり、遠くを見たり、いろいろなものを感じながら過ごす毎日はきっと豊かなものだよ。彼らからしたら、捕食者がいなくて周りを細かく感じ取れない我われ人間のほうが、かわいそうに見えるかもしれないよ」と答えたという。

我われは、周りで何が起きているかということを深く感じる必要がない生活を、すでに手に入れている。しかし、それと引き換えに多くのものを失っていて、すぐ近くで起きている奇跡を見逃し

ているこ ともあるのではないかと私は思う。自然が我われに与えてくれるエネルギーは計り知れない。これまで私が主催するワークショップの多くの参加者の皆さんを見てきたが、自然が我われを生き生きとさせてくれるのは間違いないと断言できる。自然と触れ合いアウェアネスを豊かにすれば、我われの世界はさらに広がることだろう。

現代人は便利な道具に囲まれて生活しており、自然を感じる必要がない。しかし、本来人間は豊かなアウェアネスを持っている生き物。自然の力を取り入れ、本当の意味で豊かな暮らしを営みたい

感覚トレーニングの重要性

アウェアネスこそ最高のサバイバル術

例えば雨風や寒さを凌ぐためのシェルターを作ることを考えてみよう。このときにシェルターを作るための具体的な技術、つまり木を伐るとか削るとかいう技術があれば、それなりのシェルターを作ることはできるだろう。しかし、地形、風の向きや強さ、太陽の動きなどさまざまな自然の状況をアウェアネスでもって感じ取ることができれば、そもそも雨風が当たりにくく暖かい場所を選ぶことができる。細かな技術ももちろん大切なものだが、自然を理解し味方につければ自然の恩恵を受けることができるし、労力も必要な技術も最小限で済む。それがサバイバルで自然をきめ細かく感じ取るアウェアネスが重要とされる理由である。

話はシェルターに限ったことではない。水を得るためにも火をおこすためにも、自然の動きを幅広く、なおかつきめ細かく感じ取れること、つまり豊かなアウェアネスこそが最高のサバイバル術になるのである。

アウェアネスは、自然と人間のつながりを強くしてくれるものでもある。私の師匠であるトム・ブラウン・ジュニアは、「ナイフ1本のサバイバル」という言葉を嫌う。もちろん、ナイフ1本だけを使って行うサバイバルのトレーニングは有効で、実際にナイフを使うトレーニングも行うが、ナイフを使うことで失われてしまうものがあるからだ。

ナイフさえない状況でのサバイバルでは、必ず木を成形するための道具、つまり石器が必要にな

すべてのサバイバル技術は、自然をきめ細かく感じ取ることから始まる。アウェアネスを豊かにし、自然を味方につけることこそが最高のサバイバルテクニックである

る。その際よりよい石器を作るためには、石の形、質感、色、滑らかさなど、きめ細かく石の有り様を感じ取ることができなくてはならない。その石で役立つ刃物が作れないと死んでしまうので、石を見るのも命がけだ。そうやって石と接すると、自分の命と自然の石が深い部分でつながることができるし、石に感謝するという気持ちも必然的に生まれる。

ところが、ナイフという便利な道具が手に入ると、石は必要なくなってしまう。そして、アウェアネスが少なくても済んでしまう。少なくて済むというのはやさしい言い方だが、つまりアウェアネスが不要になってしまうと言えるだろう。

それを積み重ねてきたのが現代生活で、我われは便利な道具に囲まれて生活している。つまりそれだけアウェアネスを必要としない毎日を送っている。そのせいで自然とのつながりが薄くなれば、当然自然に対して感謝する気持ちも少なくなってしまうと思う。

ベースラインとは何か?

自然には、ベースラインという空間が存在する。そこでは、現代の人間よりはるかに優れたアウェアネスを持つ動物たちが生活している

自然にはデリケートな空間が広がっている

自分のアウェアネスに、実践的にどうやってアプローチしていくのか。その話の前に、ベースラインというものについて話をしておこう。

ベースラインとは、言うなれば「自然の本当の姿」、いったんそう定義してみよう。原始的な生活を営んでいた人々の間には多かれ少なかれこれと似た教えがあったのではないかと思うが、自然の中にはベースラインという空間が存在しているとネイティブアメリカンの人々は考えていた。

このベースラインという空間は、非常にデリケートなもので、私はよくこれを「逆さ富士」に例える。湖面に富士山が逆さまに映る「逆さ富士」という現象は、さまざまな気象条件が整わないと見ることができず、ほんの少し風が吹いてさ

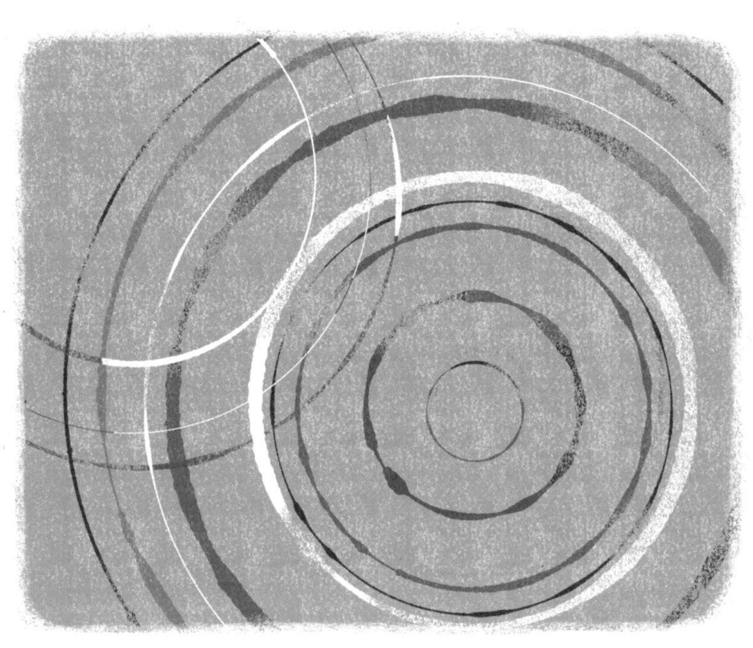

ベースラインは波がない水面のようなもので、異物が入り込んだときには波紋が広がる。自然界に人間が入ると大きな波紋が生じるが、20分ほどでおおよそ元に戻るとされている

ざ波が立つだけで見えなくなってしまう。

野生動物たちは、そのデリケートな空間の中で日々の生活を営んでいる。草食動物は外敵に捕食されないように我われ人間の何倍、何十倍も優れたアンテナを常に張って周囲を警戒している。一方、肉食動物はそうした草食動物のアンテナをかいくぐるために、また極めて鋭い感覚を働かせている。それが彼らの日常である。

そんな彼らのベースラインの中に、我われのような現代人が入っていったとしよう。大きな音を立てて歩き、おしゃべりをし、洗剤の匂いを振りまきながら自然の中にないような色の服を着た我われがだ。

これは、逆さ富士でいえば水面に石を投げ込んだような衝撃を与えることになり、水面に波紋が生じて富士山は見えなくなってしまう。つまり、自然の本当の姿、ベースラインというのは、我われがその場所に辿り着く前に存在していたものである。あるいは波紋が生じた水面が徐々に穏やか

になり再び富士山の姿を写すように、我われがその場所を去った後にまた現れるものである。

例えば、開けた場所と森の境界線をテリトリーにする鳥は多いものだが、私が森に入るとき都会で着るような服を着て、普通の歩き方でもって入っていくと、そうした鳥たちはすぐさま私に気づく。そして驚いて飛び立ったり、あるいはいつも地面にいるような土色をした鳥なら、少し飛んで木の枝に乗ったりという動きを見せる。つまり、ベースラインが崩れてしまう。

さらに、森の中にいるシカやキツネなど周囲の様子を常に気にしている生き物は、人間の姿を見る前にそうした鳥の動きを感じて森の侵入者に気づき、距離を取ったり隠れたりと避難行動を取る。すると、その動きを感じたほかの動物たちもまた、危険を感じて避難行動を取る。このように水面に波紋が広がるように森のベースラインが崩れていってしまう。それゆえ、我われ現代人はなかなか森のベースラインにアプローチすることができないのである。

ちなみに我われが生じさせた波紋は、洗剤や香水の匂いなど残り続けてしまうものを除き、20分ほどすればある程度収まるとされている。私も20分間森の中でじっと座っていたら、隠れていた鳥や動物がひょっこりと現れるという経験をしたことが幾度もある。そうした経験をしてみたいという人は、森の中でしばらくじっと佇んでみるといいだろう。

ベースラインの大きな流れ

また、森のベースラインは常に一定で同じ姿をしているわけではない。1日の中で自然がとても騒がしい時間帯もあれば、静かで動きがない時間帯もある。大まかにいえば、日の出日の入りは自

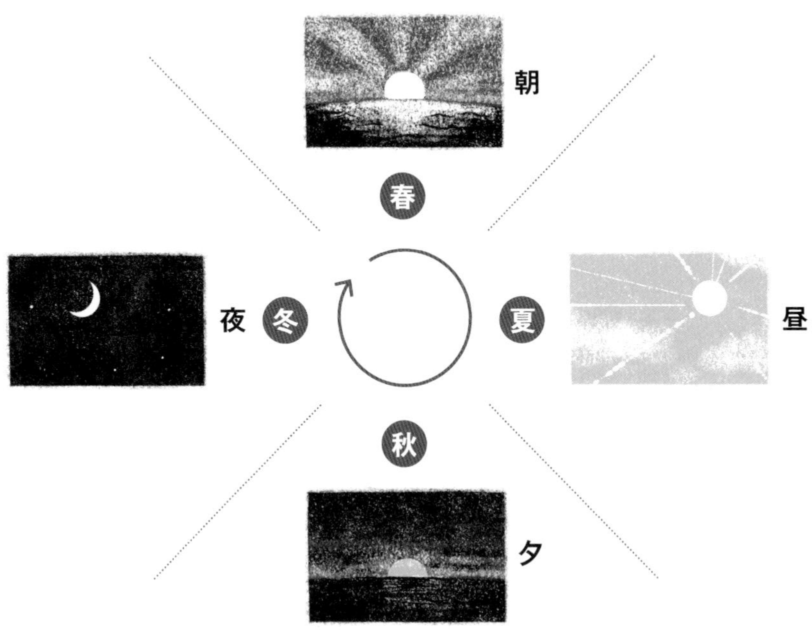

ベースラインは季節によっても変化する。春と秋はベースラインが騒がしい季節で、逆に夏と冬は静かな季節である。1年の大きな変化の中に、1日の時間の流れが加わるようなイメージだ

然の中の動きが激しくなる時間帯である。そして、そのあと徐々に動きが小さくなっていって、昼（夜）の12時前後が最も静かな状態となる。

こうした傾向は、太陽の動きや気象条件などによっても変化するが、その場所の傾向を知っておくことで、例えばいつもこの時間に鳴くはずの鳥の声が聞こえないというような波紋の乱れにいち早く気づくことが可能になる。

私はトラッカースクールの恩師トム・ブラウン・ジュニアの感覚の鋭さに驚いたことがある。あるとき、講義をしていた彼がふと話をやめて遠くの山道を指差し、数分後にあそこからハイカーがおそらく3人現れるだろうと話した。すると、しばらく時間が経ってから本当にそこに3人のハイカーが現れたのである。

その森のベースラインを熟知していた彼は、自分で直接見ることができなくても鳥やほかの生き物たちの力を借りることで、森で何が起きているかを察知することができたのだ。

ベースラインにアプローチする

ワイドアングルビジョン

ここでは、ベースラインにアプローチするための、ワイドアングルビジョンとフォックスウォークという2つの方法を紹介しよう。最初にワイドアングルビジョンについてだ。

普段我われは、見たいものを視界の中心に持ってきて、そこに焦点を合わせるという方法でものを見ている。これはトンネルビジョンと言われる方法で、見えているものが何なのか、例えば机だとか携帯電話だとかであることを無意識でも認識し情報を処理している。

一方、ワイドアングルビジョンはもっと原始的な情報を捉えるためのツールで、どこにも焦点を合わせることなく、ただ目の奥の力を抜いてボーッと視界全体を感じ取るようにする。大切なのは、そこに何があるのか、それにどんな意味があるかを頭で理解しようとせず全体を感じ取ることで、こうすることにより、広い視界の中でわずかな動きや違和感を拾うことがしやすくなる。

自然界の動物は両方の見方をうまく使い分けており、捕食者であればワイドアングルビジョンで広範囲から獲物を認識し、襲う獲物を特定したら今度はトンネルビジョンを使い確認すると言われている。そのため草食動物はトンネルビジョンで見られることを極端に嫌い、その視線を肌で感じると言われている。私の感覚では、トンネルビジョンは研いで光った刀を鞘から抜いた状態であり、それ自体がベースラインに違和感を生む波紋になりやすいのではないかと思っている。森の中を歩くときには、動物を脅かさないようにワイドアングルビジョンを使うといいだろう。

人差し指を立てて両腕を左右に広げていき、どこまで視界に捉えられるか確認してみよう。人はおよそ左右180°の広さの視界を持っているが、ワイドアングルビジョンはこの広い視界全体をどこにも焦点を合わせずに見る方法である

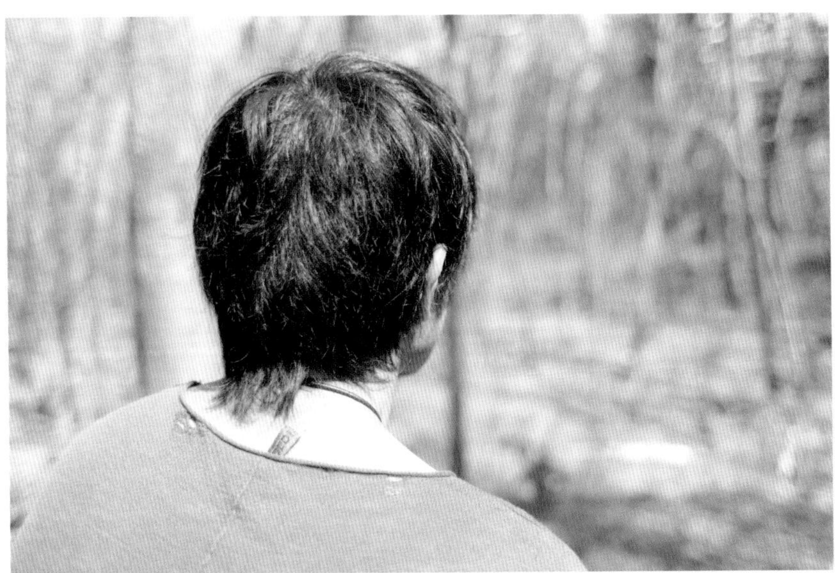

狭い範囲に焦点を合わせて見るトンネルビジョンは、自然界では肉食動物が草食動物を襲うときや、求愛行動のときに使われるという。この見方自体がベースラインに波紋を生じさせる場合もあるので、森の中を歩くときにはワイドアングルビジョンを使うのが望ましい

フォックスウォーク

ベースラインにアプローチするもう1つの方法が、フォックスウォークである。

実際の歩き方は、歩幅をいつもの1/3くらいに狭くし、足裏の外側を先に地面に付けて内側にロールしながら体重を少しずつかけていく。普段の我われは、底が分厚い靴に足が守られているので、足に地面を放り投げるように歩いてしまう。しかし、こうして少しずつ荷重することで、刺さるものはないかなど足の裏でその場の安全や地面の状況を確認しながら進むのである。

ただし、フォックスウォークの大切なところはフォームではなく、ベースラインを感じ取ってそれに自分のリズムを合わせるということ。そして、全身の感覚でさまざまな周囲の情報を細かく感じ取ることだ。ワイドアングルビジョンにより周囲で何が起きているかを確かめ、わずかな湿気の変化、匂いの変化、風向き、そういうものを常に感じ取るアンテナを敏感にし、静かにベースラインに調和するようにして歩くと、自然とフォックスウォークになるのである。

ワイドアングルビジョンとフォックスウォークという技術は、サバイバルにおいて非常に強力で重要なテクニックとなることを覚えておいてほしい。また、原始的な技術の多くは街中で練習することが難しいが、この2つはそれが可能である。フォックスウォークは最初はギクシャクした歩き方になってしまうかもしれないが、練習次第で街中でも違和感なく歩けるようになる。ぜひ毎日の生活の中でのエクササイズを心掛けて欲しい。

フォックスウォークの実践

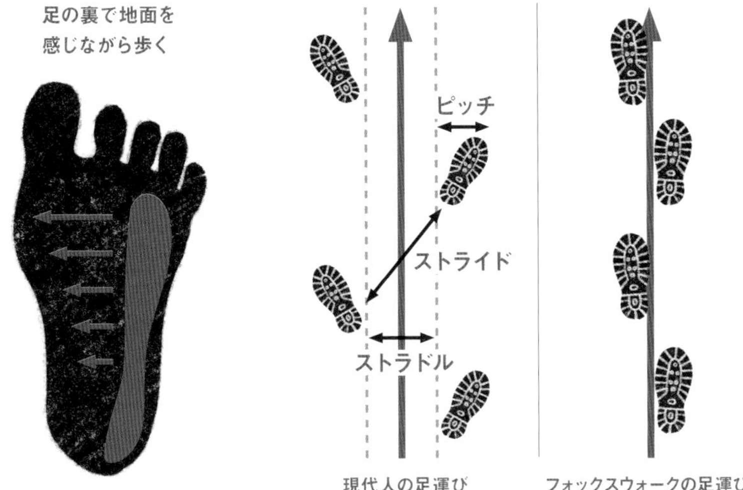

自然の中では、左右や上下に揺れる動きは目立つ。それをなくすために、足の角度の開き（ピッチ）と、両足の間隔（ストラドル）をほぼなくす、0ピッチ0ストラドルと呼ばれる歩の進め方をする。また、ストライド（左右の踵の距離）は現代人の足の運びの半分以下である

ネイティブアメリカンは裸足かモカシンという薄い靴を履いていたので、次の一歩が安全かどうかを足裏で確かめながら進み、同時に足裏から地面の硬さ、湿気など多くの情報を得ていた

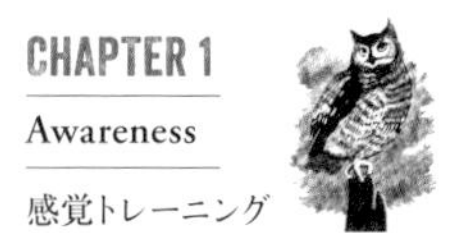

フォックスウォーク

1歩

足裏の外側から地面に置いて徐々に内側に荷重し、地面が安全かどうかを確かめる。歩幅は普通のときの1/3。自然本来のリズムと言われる3拍子の動きを心掛ける。足を地面に擦ったりしないよう、真下にそっと下ろすようなイメージ。ワイドアングルビジョンでアウェアネスを高め、周囲の状況を感じながら急がず進む

普通の歩き方

1歩

2 歩

アウェアネストレーニング・ベーシック編

クエストウォーク

アウェアネスを高める初歩的なエクササイズの1つに、クエストウォークというものがある。やり方はこうだ。まず自然がある公園や、できれば森の中をフォックスウォークを意識して歩いてみる。現代人が歩くときにはたいてい目的地があるが、このときは目的地を意識してはいけないし、頭で何も考えてはいけない。体が動くままに任せてただ歩き回ってみて欲しい。そして、自分が気持ちいいと思う場所で腰を下ろし、20分間ワイドアングルビジョンで静かに過ごす。この20分というのは、乱れたベースラインが元に戻るまでにかかる時間である。

座っていると、頭の中にいろいろな考えが浮かんでくるだろう。私自身もそうだが、現代では自分が望んでいない情報さえもが次々入ってきて、頭の中はふくらみきった風船のように情報が溢れている。そこで、呼吸とともに風船の口を開けて情報を外に逃してやるようなイメージを持ちながら、ワイドアングルビジョンを保ったまま過ごし、少しずつ頭の中を空っぽにしていく。

そして20分経ったら立ち上がり、2～3ｍほどでいいので、ゆっくりとフォックスウォークで歩いてみる。勇気のある人は裸足になって、周囲のベースラインと一体になったイメージを持って一歩一歩の感触を大事にして静かに歩いて欲しい。そして、また元の位置にフォックスウォークで戻る。最初は10分ほどでいいので、この行ったり来たりを繰り返す。大切なのは、大地がありベースラインがあり、そしてそこに自分も含まれて生きているということを感じることである。

「大地を歩くときには、最も目上の人の上を歩いていると思いなさい。その目上の人の名は地球である」と、私はそのように教わった。大地に対する畏敬の念がこもった歩き方がフォックスウォークなのだ

アウェアネストレーニング・アドバンス編

もっとアウェアネスを深める

次にアウェアネスをより深めるエクササイズを紹介しよう。先に書いたように、現代の生活ではトンネルビジョンを使うことがほとんどで、ワイドアングルビジョンが必要となる場面はまずない。そこで、トリガーというテクニックを用い、少し無理やりだがワイドアングルビジョンを習慣づける。トリガーというのはつまりきっかけのことで、日常生活の中で何か決めた出来事が起きたときに、1分程度でいいのでワイドアングルビジョンを行うようにするのである。トリガーとなる出来事は自分で決めていただいてかまわない。例えば生活の中でスマホを見ようと思ったときや、オフィスなら電話が鳴ったとき、あるいはタバコが吸いたくなったときなどなんでもいいので、1日のうちにある程度頻繁に起きることにするといいだろう。

このトリガーのいいところは、日常生活の中にワイドアングルビジョンの習慣を取り入れられることだ。ワイドアングルビジョンを行うのが例えば部屋の中だったとしても、部屋全体を見渡すことができ、普段は聞こえない空調の音や室外からかすかに聞こえる自然の音、そこにいる人々のムードというか感情のようなものまで、なんとなくそこに漂っている気がするだろう。

また、歩いて移動しているときには必ずワイドアングルビジョンにするという方法もある。慣れないうちは怖いかもしれないが、このエクササイズで、大人数が行き交う渋谷の交差点を歩いてもまったく人とぶつからないようになったという人もいる。

現代はアウェアネスがなくても生きていけてしまう時代だ。しかし、アウェアネスを鍛えることで、より豊かな生活ができると感じている

「秘密の場所」を持つ

「秘密の場所」とは、エクササイズの名でもあり、かつてはネイティブアメリカンの習慣でもあった。〝秘密の〟と言っても誰にも教えていない場所という意味ではなく、いろいろな秘密をその場所が教えてくれるからこの名が付いたそうである。

ネイティブアメリカンの多くの部族の間で、1人1人がある1つの場所を決めてそこに通うという習慣があったと言われる。私はその場所を秘密の場所と教わったが、部族によってはヘブンと呼んだり、聖なるエリアとも呼ばれていたそうだ。また、ネイティブアメリカンのみならず、こうした習慣を持っていた民族は多いようである。そんな秘密の場所で、次頁で紹介する「感覚瞑想」を行ってみよう。常に同じ秘密の場所の同じ位置に同じ方向を向いて座り、そこで起こる出来事を頭で捉えるのではなく、自分のすべての感覚を使っ

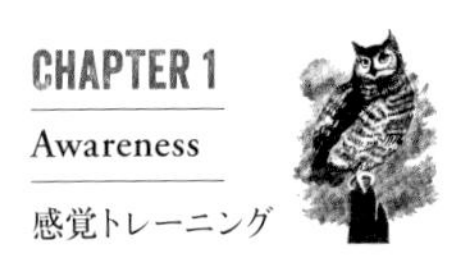

て感じ取るようにする。これが「感覚瞑想」である。

いつも座る決まった位置は、アンカーポイントという。なぜアンカーポイントが同じ場所でなければならないのかというと、そのほうが日々の違いを感じ取りやすいからだ。いつも場所を変えるという方法にももちろんメリットがあるが、同じ場所のほうがベースラインを把握しやすく、それゆえわずかな変化でも気づきやすくなる。

アンカーポイントは、自分が自然と繋がる場所であり、ニュートラルな状態に帰る場所。アンカーポイントで感覚瞑想を行い、自然と同調することでアウェアネスが鍛えられる。私が学んだサバイバルスクールでは、優れたサバイバリストになりたければ、必ず秘密の場所を持ちなさいと本当に口すっぱく言われたものだ。それほどこのエクササイズは重要視されていたのである。

どのような場所が秘密の場所に適しているのかというと、行きやすく、落ち着ける場所だ。自然があればなおいいだろう。利便性がとても大事で、車で10分走るようでは遠すぎる。理想は歩いてすぐに行ける場所だが、都会のマンション暮らしなどで難しければ自分の部屋でもかまわない。また、車で少しだけ走れば自然が豊かで気持ちのいい理想の場所があるというような場合は、それを第2の秘密の場所にすればいいだろう。だが、毎日通うメインの秘密の場所は、とにかく近くて行きやすいところでなければならない。

部屋の中であれば、電気を消して窓を開け、外の音が聞こえるようにする。そしてリラックスできる椅子に座る。それだけでも自然とつながることができる。そして、いつも同じ方向を向いて感覚瞑想をして20分ほど過ごす。1時間ほどできればなおいいだろう。部屋であっても、音、空気の感触、匂いなどいつも違うものが感じられるはずだ。

自分が気持ちいいと思える秘密の場所で自然と繋がりながら感覚瞑想を行うと、自分をニュートラルな状態にすることができる

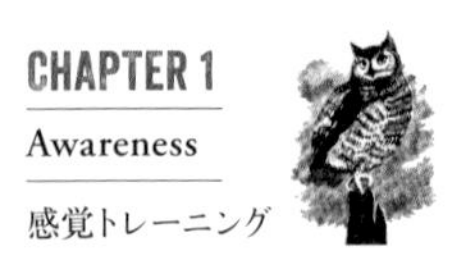

感覚瞑想

実際に感覚瞑想を行ってみる。まずリラックスして座り、目を閉じる。体育座りでもあぐらをかいても、リラックスできればどんな座り方でもかまわない。そして、長く深く呼吸をするのだが、このときに自分の毛穴の1つ1つから周囲の気持ちのいい空気を吸い込むようなイメージを持って行う。また、息を吐くときに頭の中の雑念を一緒に吐き出すようにする。何かを考えたり意識したりすることをやめて、感覚に集中してみよう。

リラックスできたら目を開けて、ワイドアングルビジョンにしてみる。ワイドアングルビジョンなので目は開けているが力は抜けていて視界をフリーに解き放った状態である。

視覚の次は聴覚だ。普段の生活においては、人は周囲のすべての音の中から無意識に必要な音だけを選び取って聴いているが、ここではそうしたことはせずに全ての音を受け入れるようにする。また、音をこちらから拾いにいくのではなく、あくまで受け止めるという感覚が大切だ。手順としては、まず自分の正面方向にある音をすべて受け止める。音を聞くのを邪魔している壁をパタンと倒して取り払うようなイメージをもって行うといいだろう。この音は車の音だとか、その音が何なのかなどと考えてはいけない。前の次は右側、左側、後ろ側という順番で同じように壁を取り払い、一方向ずつ丁寧に音を感じ取っていく。呼吸を止めないこと。そしてアングルビジョンを保つことも大切だ。以降の行動は全て付け足していくように行うこと。

音の次は匂いだ。毛穴に匂いを感じ取る機能があるというイメージを持ち、周囲の匂いを感じ取る。無臭であると思うかもしれないが、自分が野生の中に暮らす感覚の鋭い動物になりきれば、無

アウェアネスを高めるのにとても役立つのが、この感覚瞑想である。頭で判断せず、全てを自分の中に取り込むことで、これまで見過ごしていたものを感じ取ることができるようになる

臭ではありえない。毛穴1つ1つから入ってくる香りを楽しんで欲しい。

毛穴を意識すると、自分の肌の感覚を意識するようになる。普段触覚は指先くらいでしか使わないが、全身の感覚を自由にすると体が空気と触れている感触を感じ取れるようにもなる。着ている衣服の感触は肌で感じるだろうが、それと同じように空気の肌触りを感じ取ってほしい。すると、空気のわずかな動きや湿り気、温かさや冷たさなど、それまで何も感じなかった周囲の空気からさまざまな情報を取り入れることができるのである。

次は味だ。毛穴全体から入ってくる香りを自分の舌に集中させるか、あるいは毛穴自体に味覚を感じる機能があると想像し、周囲の味を感じ取る。

このようにしてリラックスし、ワイドアングビジョンで周囲の音、香り、味を感じた状態でその場に漂う。それが感覚瞑想である。実際にそれらが感じ取れてないとしても全く構わない。感じ取れている気になりイメージを膨らませよう。

自分の聖地を見つける

「秘密の場所」を探す

秘密の場所はどんなところがいいのかというのをもう少し説明したい。

ポイントの1つ目は、とにかく安全であること。危険な動物が生息していないか、落石や枯れ枝が落ちてくる心配はないか、そもそも立ち入っていい場所なのかどうかなどに注意する。それから秘密の場所というのは明け方とか夕方に行くのがおすすめなのだが、そんな明るさの時間に行っても帰ってこられる場所かどうか。自然豊かな場所というと森の奥の秘境のような場所を想像するかもしれないが、いざというときのことを考えると車を停めた駐車場の近くとか、車が見える場所とか、そういう場所にしたほうがいい。自然はどこにでもあるのだ。

2つ目は、見通しの良い場所であることだ。秘密の場所では周囲に何が起きているのかを把握できると楽しいので、ある程度視界が開けた場所にしたい。場所によっては、季節によってアプローチできなくなることもあるので気をつけていただきたい。私も冬に見つけた秘密の場所が、夏になったら背の高い植物に囲まれてしまい困ったことがある。

3つ目は、水場がある程度近くにあることだ。水場の近くは夏は虫が多いし、冬は寒いことが多いのだが、やはり生き物が集まる場所なので賑やかでいろいろな出来事が起こりやすい。

あとは、不快な要素が多い場所もやめておいたほうがいいだろう。例えば蚊などの虫があまりに多かったら移動してもいい。ただし、そのときにはそれならなぜここは蚊が多いのか、なぜ移動し

自分の秘密の場所にはいろんな動物が暮らしていて、さまざまな行動をしている。それがわかると、通うたびに彼らとの関係が深くなるような気がする。これも秘密の場所を持つ楽しみの1つだ

た先には蚊が少ないのかといったことを考え、そして感じ取ってみて欲しい。秘密の場所から多くのことが学べると書いたが、それは他の場所と比較したときに1つの基準となるからでもある。

虫以外にも夏の日差しが強すぎる、冬に風が当たって寒いといった不快さもある。自分を鍛えようとそうした場所で続けるのもいいが、無理をする必要は全くない。いずれにしろ一発で完璧な場所を見つけるのは難しいので、こだわり過ぎず何度か場所を変えてみればいいだろう。私には20年通った秘密の場所があるが、その場所を見つけるまで4回も秘密の場所を変えている。

また、秘密の場所に通うときに、同じ服を着ていくことも大事だ。自然の住人は人を覚える。私が通った秘密の場所には、アカネズミやカワセミが現れたが、彼らを見せようと友人を連れていくと絶対に姿を表さない。カモやモズも私のことを覚えていると思える体験が幾度もあったが、同じ服を着ていた効果はかなり大きいと思う。

今日自分は何を見て過ごしたのかをジャーナリングによって再体験し、自然のミステリーと向き合う。その繰り返しがアウェアネスを高めてくれる

ジャーナリングの書き方とパワー

さらにアウェアネスを高めるジャーナリングについて説明しよう。ジャーナリングとはつまり日記を書くということなのだが、私の師匠であるトム・ブラウン・ジュニアは、このエクササイズは最もパワフルなエクササイズの1つだと言っていた。正直、私は勉強をさせられているような気がして最初は気乗りがしなかったのだが、実際に続けてみるとアウェアネスが高まることを実感し、本当にすごい力を秘めていると痛感したエクササイズだ。

なぜ日記を書くのか、誤解を恐れずに言うとスピリチュアルな部分にアプローチをかけるためである。ではそれがどういう意味なのか、それを説明するにあたって、ネイティブアメリカンの習慣について話そうと思う。

ネイティブアメリカンの若者が秘密の場所から戻ってくると、村の長老や先輩方や両親などいろいろな人が彼に今日は何を見てどんな体験をしたかを聞いてくる。若者はそれに対し例えば鳥を見たという話をすると、さらにその鳥はどこから来てどちらに行ったのか、どのくらいの高さを飛んでいたのか、どちら向きに飛んでいたのか、その鳥はなぜそこにいたのかというように、さらに細かい質問を投げかけて来る。すると若者はどんなだったか思い出しながら質問に答えていくことで、自分でも気づいていなかったことを改めて思い出したり、実際に見ていない領域にまで思いを馳せる。また、なんとなく感覚で感じていたことにストーリーが生じ、その体験に「意味」ができる。そしてそこから学びを引き出すのである。

残念ながら、我われにはそういった話を聞いてくれる人が周りにいない。そこで役に立つのがジャーナリングで、日記を書くことを通して、長老や先輩方の代わりに自分で自分に問いを投げかける作業を行うのである。自問自答ではあるが、やってみるとあたかも誰かが自分から学びを引き出そうとしてくれているのではないかと思える、とてもおもしろいエクササイズだ。

この自分への問いかけは「聖なる自問」と呼ばれる。何を問いかけるのかというと、そこで何が起きたのか、そしてその起きたことが自分に何を伝えようとしているのか、の2点である。

例えば、すぐ目の前にシラサギが降り立った。これが「何が起きたか」の部分。そしてこれは自分に何を伝えようとしているのだろうか。もしかしたらそこに毎日通っているので、自分の存在を受け入れてくれたのかもしれない、あるいはたまたまサギから自分が見えなかっただけかもしれない。であればそれは自分の服装のせいなのか、姿勢のせいなのか、それとも深い瞑想状態に入っていて周囲に溶け込んでいたからなのか。というように、目に見えた1つの事象から、目に見えないミステリーの部分にアプローチをかけていくのが目的である。

ちなみに、ネイティブアメリカンの人々は、こういう自然が自分を誘い込むように見せる謎のことをグレートミステリーと呼んでいた。

この聖なる自問で気をつけなければいけないのが、答えを考えるときにエンビジョンを行うことだ。エンビジョンとは想像することなのだが、ただ頭の中でイメージするのではなく、自分が本当にそこに座っているような感覚で想像するという方法だ。あたかもタイムスリップをしたかのように、実際にアンカーポイントに座っていたときの地面の感触、風が当たっている感じ、太陽の光の強さや向き、景色、香りなど周囲の状況を感じ、シラサギが降り立ったときの世界を再体験する。

秘密の場所での時間をできるだけクリアにエンビジョンするためには、感覚瞑想でどれだけ体験を細かく吸収できていたかが大切になってくる。感覚を通してそのときのことが思い出としてよみがえってくるので、アウェアネスを働かせて周囲の環境を細かく吸い込んでいるほどジャーナリングがしやすくなるのである。

例えばジャーナリング専用のお気に入りのノートを購入して枕元に置いておき、寝る前にこのノートの半ページを埋めようと決めるといい。ジャーナリングを通じて、その日、秘密の場所で起きた事をエンビジョンし、再体験する。寝る前というのは、ジャーナリングにぴったりの時間だ。そして例え秘密の場所に行けなかった日でも、このノルマをこなすようにしよう。すると書くことを探して、空を見上げて感覚瞑想をしてみたり、少し公園に寄り道してみようと思ったりと、自然にアウェアネスが身についてくるはずだ。

ただし、無理なノルマを課してしまうと長続きしなくなってしまうので、最初は簡単にすること。半ページと決めたら、書き足りないと思っても半ページで終わらせるくらいでいい。

マッピングエクササイズ

マッピングとは自分の秘密の場所の地図を書くことだ。それにどんな狙いがあるかというと、場所を俯瞰して見ることで何がどこにあるか、そこで何が起きているのかをクリアにすることである。

地図というものはたいてい上から見た鳥瞰図になっているが、地図を持たない原始的な部族の人々もエンビジョンのなかで空から地上を見るバーズアイビュー、つまり鳥の視点を持っていた。彼らは獲物を追跡する際も、痕跡を残した動物が何を見ていたのかをその動物になりきって「体験」する。だから鳥の視点を持つというのも、彼らからすれば自然なことだったに違いない。

鳥の視点に立って秘密の場所を見ると、道がどこから来てどうつながっているか、それぞれの木の関係、そこにある全てが言わばどういう物語を織りなしているかが見えてくる。そして自分のアンカーポイントの性格がより明確になる。その場所にどんな自然の要素があり、それぞれがどんな影響力を持っていて、アンカーポイントにどんな影響をもたらすのかがわかりやすくなるのだ。

具体的な方法は、まず自分のアンカーポイントを中心に、例えば東西南北それぞれ200歩進み、その4点をつないで円で囲んだエリアを決める。そして、遠くの鉄塔やベンチ、特徴のある木など東西南北それぞれの方角に目印を見つけておく。自分の秘密の場所では、常に東西南北を意識し、いちいち方位磁石を見なくても感覚で方位がわかるようにしておくことが大切だ。そしてそのエリアを自分の縄張りとして、自分と同化するような感覚を持つ。

マップの方位の向きに決まりはないが、私はネイティブアメリカンの多くの部族がそうしているように、南を上にしている。私は感覚瞑想をするときなどには南向きに座って太陽の光を浴びたい

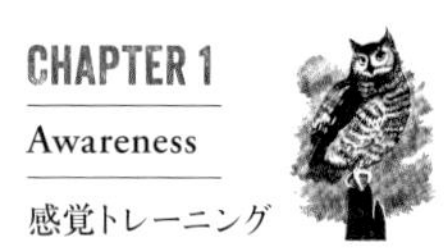

ので、南を上にしたほうが書きやすいというのもその理由だ。

そしてその円の中に、次に挙げる要素を大雑把でいいので書き込んでみて欲しい。まず池や沼などの水場。次に地面の質。砂利だとか木の下でいつも落ち葉があるとか、草がたくさん生えているとか、特徴的なものを書き込んでおく。また、タンポポが群生しているとか、スギの木が多いとか、あるいは大木や異質な木など、植物の状態もだ。それから山道や遊歩道、そしてできれば獣道も書き込む。そうした明確な境界線ではドラマが生まれやすいからだ。

獣道は最初わかりにくいかもしれないが、人間が通るには狭いようなところに筋が通っていると、それは獣道の可能性がある。何かここは怪しいなと思ったところがあれば書いておいて、「獣道？」のようにクエスチョンマークをつけておいてもいい。あとは傾斜や丘、窪地など。そして大きな岩や倒木も。こうしたものは影ができたり風の流れが変わったりするきっかけとなる。

どれも正確に書く必要はない。大雑把で構わないので、周囲の探検を楽しみつつ描いて欲しい。そうやって全体像を描くと、自分が座っていた場所がどんな自然の要素に囲まれていたのかがわかり、その場所が意味を持ってくる。それはとてもおもしろい体験だ。

マッピングをしたら、今度は雨で秘密の場所に行きたくない日などに、部屋でマップを置いて空想で自分のアンカーポイントを中心に歩き回って見る。まるで自分がそこにいるかのように感じてみよう。そして、この先落ち葉が積もっている場所を通り、木の横を通っていくと、水場が現れる。あるいは風がどこからどう吹いてきて、こういう匂いを運んできているというようなことも想像する。最初は難しいと思うが次第にエンビジョンできるようになっていく。ある程度想像できるようになれば、次に秘密の場所に行くときに、実際はどうだったのか調べるという楽しみもできる。

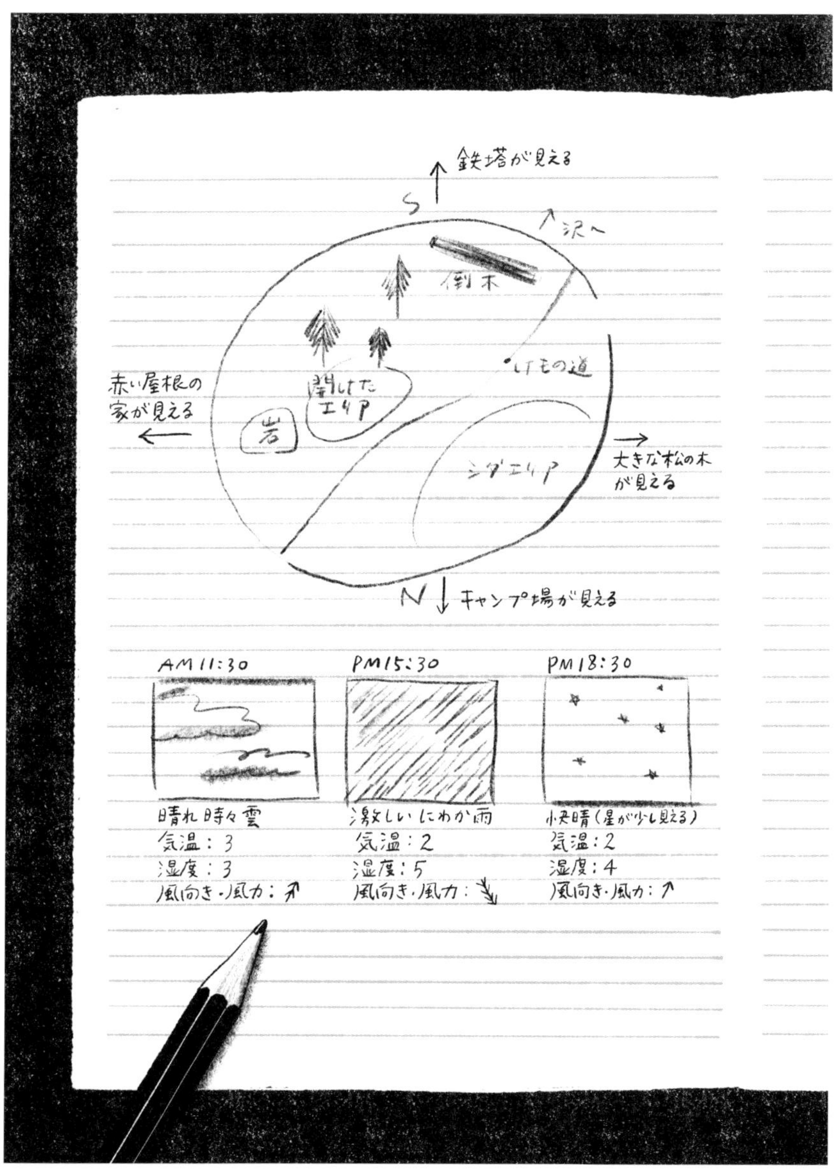

秘密の場所の地図のほか、感覚瞑想を行ったときの時間、天気（絵にする）、気温、湿度、風向きと風力を書き記す。気温や湿度などは計測器を使用せず、例えば気温であれば自分がこれまで最も暑かったときを5、最も寒かったときを1として、感覚で５段階評価する。そして、余ったスペースや隣のページにその日の出来事をジャーナリングしてみよう。その日の天気やマッピングした自分のエリアが織りなす物語に照らし合わせた学びが得られる

自然の要素をつなげるリンキング

リンキングとは、見えないものにアプローチをかけるテクニックのひとつだ。

ネイティブアメリカンにはスカウトと呼ばれる人々がいた。彼らの役割は、部族が安心して暮らせるように、植物や動物に関することや敵対する部族の動向など、必要な情報を集めること。部族の存続に関わることだけに、彼らは少ない出来事から多くの情報を読み取る技に長けていた。例えば鳥が茂みから一羽飛んでいっただけでも、そこから多くのことを知ることができたのである。

あの鳥は地面周辺をテリトリーにしているツグミだ。飛ぶ時に発した鳴き声は警告音だったが、それほど緊急を要する声ではなかった。きっと脅威が急に現れたのではなく、遠くにいた脅威が少しずつ近づいてきたので、弱い警告音を発して飛んでいったのだ。

近づく脅威が見えていたということは、茂みの向こうはある程度開けた土地だろう。ツグミはこの時期地面にいるミミズなどを食べるので、それらが生息するような土壌が広がっている。そして開けた日当たりの良い、そんな土壌には、まもなくさまざまな野草が顔を出すだろう。鳥たちが感じた脅威は恐らく猫だ。鳥に興味があったわけではない。猫の行動パターンを考えると、おそらくこの時間、水場に向かっていた。しかし、茂みの向こうには乾いたところに生える松が生えているので、そちらに水場はない。とすると、こちら側の後方に水場があるのかもしれない――。

このように、事象をさまざまなものとリンクさせるのリンキングだ。聖なる自問を行う際には、必ずこのリンキングを意識する。なぜなら、マップ内のある1点で起きたことは、必ずその周りの自然の要素とリンクしているからである。そうすることで、見えないものにアプローチをかけやす

タンポポの花が咲いた、それは最近暖かいからだ。というように、大抵の人は意識をせずともリンキングを行っている。グレートスピリットをより深く感じ取るためには、これを意識して習慣づけよう

くなる。ジャーナリングの際には、太陽、月、空、雲、雨、雷、生物、方位など、あらゆる自然の要素について触れようとすることに意味がある。ネイティブアメリカンの人々は、自然全体をグレートスピリットというひとつの生命体のようなものと考えていたが、このグレートスピリットという全体性を感じて書いてもらいたい。

今日は満月だから動物が活発に動くだろう、など、始めはその程度でいい。そうやってグレートスピリットを毎日感じようとする習慣をつけてほしい。サバイバルの極意は、このグレートスピリットの動きを感じ、それに逆らわず、その波に乗るように技術を生かすことなのである。

また、そうして感覚瞑想とジャーナリングを繰り返すうちに、秘密の場所が自分の肌の一部のような感覚になってくる。そして、エリア内で起きる些細なことを察知できたり、見えない場所で起きていることがあたかも目の前で展開しているようにエンビジョニングできるようになるのだ。

CHAPTER 2

Survival Training

サバイバルトレーニング

フルサバイバルとは?

道具のいっさいを持たずに生き延びる

ここからは、フルサバイバルの具体的な技術について説明していこうと思う。よく「ナイフ1本でサバイバル」という言葉を聞くが、フルサバイバルとはナイフさえも持たないサバイバルのことである。自然にあるもののみに頼るフルサバイバルは非常に難易度が高いものだが、生きるための要素を自然に頼らなければいけない分、自然への感謝の気持ちが強くなる。

私自身、どんな状況でもフルサバイバルで生き延びられるかというと決してそんなことはなく、まだまだ修行中の身であり、この本に書いたことすべてをマスターしているわけでもない。

例えば、石器を使って木を成形し火をおこすという作業。あるときは驚くくらいすぐ火がつくこともあれば、1日中やっても煙が出るだけで終わるということもある。実際、この本のための撮影を行ったときには失敗している。スケジュールが密で時間がなかったという言い訳もできるが、それほど難しい作業だということである。

だから、この本を読んでくれている皆さんには、書いてあることが無理だからやらないと考えず、ぜひさまざまなことを体験してみて欲しいと思っている。例え火おこしに失敗しても、その過程の中でいやでも自然を意識せざるを得なくなるので、自然と繋がっている感覚はたっぷり味わうことができる。「この本でナイフを持たず自然の中で生きていけるようになる」などと大袈裟に考えず、自然と繋がる豊かな世界観そのものを楽しんでほしいと思う。

ナイフ1本でもあるのと無いのとでは大きく違う。文明の利器を使わないフルサバイバルは、人間が本来持つ力を引き出してくれる。力まずに楽しむようにしたい

命の5要素とセイクレッドオーダー

フルサバイバルの優先順位

セイクレッドオーダーとは、サバイバルな状況に陥ったときに何を優先して行動すべきかを示すものだ。あくまで傾向であり例外はあるが、命を守るために大いに参考になる指標である。

生き残るために必要な要素は5つ。最優先となるのが空気で、これがないと3分間で命を落とす。次に体温。温暖な環境下でも、急な状況悪化が伴えば、3時間で命の危険に晒される。3番目は水分で、リミットは3日間。よく災害などで救出までの目安が72時間と言われるが、これが論拠となっている。ここまでの空気3分、体温3時間、水3日間の3つは、3の法則と言われている。また、これらは命を落とすまでの時間であり、サバイバル活動をしっかり続けるには、3ではなく1、つまり体温1時間、水1日と、より短時間でそれらを確保する必要があると言われている。

水まで確保できたら、次は火、そしてその次が食となる。食の前に火というのが意外かもしれないが、調理をするのにも明かりにするのにも役立つ火は、人間にとって非常に需要なもので、実際に火をおこさないサバイバルに挑戦する人のほとんどは1週間で憔悴し音を上げてしまうそうだ。なお、水より先に食べ物が見つかっても、食べてはいけないというのがセオリーだ。なぜかというと、食べることで体の中にある水分を消費してしまうからである。

そして、こうした要素を獲得する以前に大切なのが、保持することだ。砂漠のサバイバルでは水を飲むより汗をかくなと言われるが、今ある体温や水分を保つことを考えなければならない。

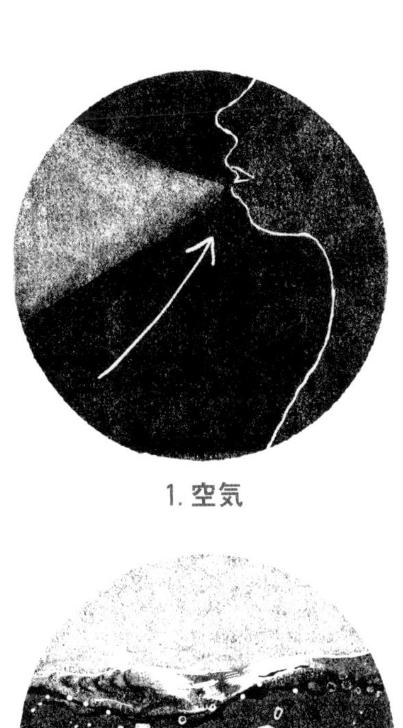

1. 空気

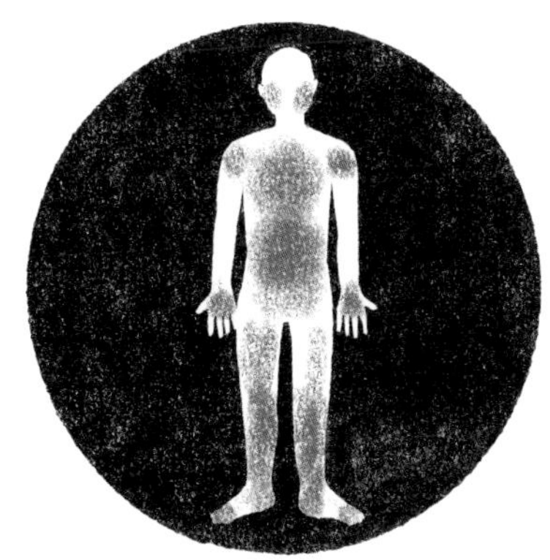

2. 体温

3. 水

4. 火

5. 食

サバイバルで優先すべき順序は、空気、体温、水、火、食物の順。人間の体温は不安定なもので、雨や風など天候のわずかな変化でもあっという間に低下してしまう。サバイバルな状況での死因で群を抜いて多いのが低体温症だ。食物が最後なのを意外に思う人もいるだろうが、人は食物を取らなくても、3週間から30日は生きていけるとされている。実際、サバイバルな状況で飢死をするというケースは非常に稀である

具体的なシナリオと身につけるべき技術

自然の中に着の身着のままで放り出されるフルサバイバルで命を保つために、具体的に何を行えばいいのかを考えてみよう。

まず空気については、特殊な状況を除いては行動を起こさずともそこにあるものなので、ここでは触れずにおく。次の体温の保持については、状況によっては何も行動する必要がないこともあるだろうが、気温が低い、雨や風で体温が奪われているといった最悪の状況を想定すると、必要なのはシェルターだ。雨や風を凌ぐことができ、断熱性があって体温を中に閉じ込めることができ、なおかつ作るのに道具が不要なシェルターである。

シェルターの次は水だ。サバイバルで水にあたるのは死を意味すると言われるくらいなので、少しでも怪しいと思ったら煮沸処理をしなければならない。そこで煮沸消毒をするために何が必要になるかというと、まず器だ。そして火をおこすための道具である。そうすると、木を成形し火おこし道具を作るために必要な石器を作らなければならない。まとめると、シェルター、水、火、器、石器を用意しなければならないということになる。あとは食になるが、水まで入手できれば時間的にかなり余裕ができるので、ゆっくり行動すればいいだろう。

左の表のように、道具のあるサバイバルとフルサバイバルでは、シナリオが異なる場合がある。山奥の源流部で水が湧き出るポイントを発見できれば話は別だが、本章ではすぐ飲める水が確保できなかったことを想定し、左のフルサバイバルの破線のシナリオに沿って話を進めていきたい。

道具があるサバイバルのシナリオ

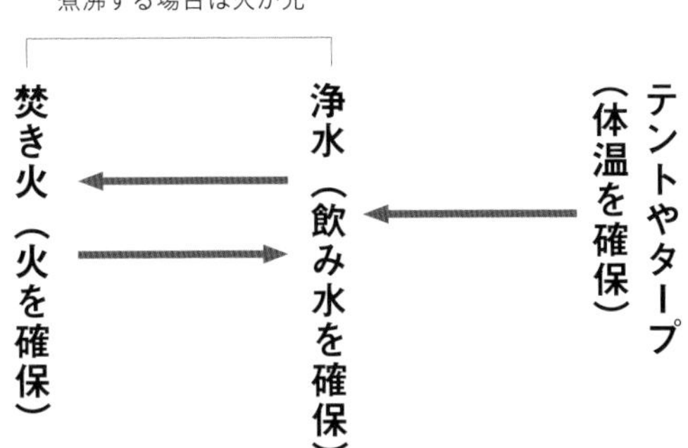

テントやタープでまず体温の放出を防ぐ。濡れない、風に当たらない状況を確保する。そのあと飲み水、火を手に入れる。クッカー、テント、タープなど、アウトドア用の基本的な道具がそろっていれば、体温の確保が素早くでき、水を汲んだり煮沸したりといった作業も比較的容易にできる

フルサバイバルのシナリオ

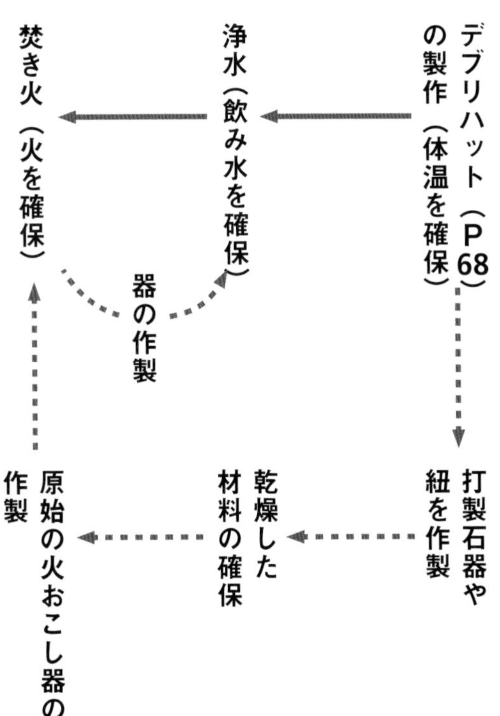

体温、水、火、食という優先順位は同じだが、フルサバイバルではより多くの過程と技術が必要になる。浄水のため水より先に火が必要になるなど、優先順位が変わったように見えるかもしれないが、大切なのは達成しなければならない「目的」の順番であり、「手段」の順番はどうでも構わない

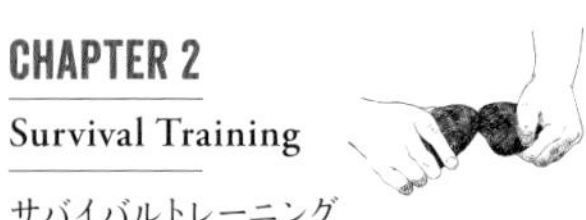

その場所を知る

同じ場所でキャンプすることの重要性

サバイバルのトレーニングを行う場所は、山奥でなくて構わない。最優先すべきなのは、安全であることだ。あくまでトレーニングなのだから、バックアップ用品を積んだ車や体をすぐ温められる場所から数百m離れれば十分。いざというときに避難できる場所があることが大切だ。

むしろ避難場所があることがわかっている方が、トレーニングで自分を追い詰めることができる。私も雨の中で火をおこすというトレーニングを行い低体温症になりかけたことがあるが、それは近くに避難できる車があるとわかっていたからだ。

また、私は、いつも同じ場所でトレーニングする事を強くおすすめする。なぜかというと、同じ場所でトレーニングを行うことで、自然の奥深さをより感じることができるからだ。同じ場所であっても、季節によって植生、日の当たり方、風の強さや向き、動物たちの行動、入手できる材料など、本当にいろいろなことが変化する。何回も同じ場所に通うことによって、そうした変化を体感できるし、自然の奥行きの深さを知ることができる。前回来たときとの違いがわずかであっても、そのわずかな違いに気づけるのは同じ場所に行っているからである。

もちろん、いろいろな場所で行う利点もある。ただ、不思議な話だが、さまざまな環境に対応できる応用力というものも、1つの場所が育んでくれるような気がしてならない。

自然は本当に奥深いもので、時期や天候、時間によってさまざまな顔を見せる。例え同じようでも、どこかしらに違いがあるものだ。そういう小さな違いに気づくためにも、同じ場所に通うべきである

シェルターに必要な機能

自分の体温を外に逃がさない

シェルターにもさまざまなタイプがあると思うが、ここで作り方を紹介するのはナチュラルシェルターといって、木の葉や枝など自然の素材だけで作るものである。

ナチュラルシェルターで最もポピュラーなのは、リーン・トゥという差し掛け式の屋根があるタイプだろう。これは片側が屋根、片側がオープンになっているシェルターで、中に座って作業ができるし、横になれば焚き火を前にして暖かく眠ることができてとても使いやすい。焚き火に当たりながら眠るととてもリラックスできるし、私も大好きなシェルターなのだが、本書で紹介するのはよりシンプルで道具を使わずに作れる北山ハットというものと、デブリハットというものだ。

この2つのシェルターは密閉型で断熱性が高く、火などの外的熱源を用いずとも体温が保持できる。リーン・トゥの場合、テクニックを使って焚き火を長持ちさせたとしても、就寝中に火が落ちて寒くて目が覚めて薪をくべるという作業が必要になるが、体温を中にこもらせる密閉型のシェルターであれば、シェルターの出来次第ではあるが、焚き火をしなくても薄着で汗をかくほどの暖かさが継続的に得られる。夜中に何度も目が覚めるリーン・トゥに比べ、眠りの質が格段に向上するし、寝ている間焚き火をしないので、大切な薪の消費量も抑えることができるのである。

デブリハット作りにかかる時間は、作る人の技量や状況によってさまざまだ。私が最初にデブリハットを1人で作ったときには、6時間かかったが、2回めは3時間で完成させることができた。

材料は落ち葉だけのシェルターでも、作り方次第で驚くほど暖かく過ごすことができる。

今では材料がある場所なら1時間半以内で作れる自信がある。作るのに慣れれば、それだけの時間でできるシェルターである。

私が通ったスクールでは、各自がデブリハットを作ってそこで1週間眠るというエクササイズが行われたが、これが非常によくできていた。というのも、実際に自分で寝るとなぜ自分のデブリハットが寒いのかを体で感じることができる。すき間風が入ってくる部分や、落ち葉が薄い部分がよくわかるので、そこを毎日少しずつ修正していくと1週間経つころには暖かく眠れるようになるのである。デブリハットは落ち葉を布団のようにして眠るので、最初のうちは顔に落ち葉がかかったりチクチクしたりして、正直嫌なものだったが、3日目ぐらいになるとまるで自分の家の布団に入ったときに感じるような安心感を覚えながらぐっすり眠れるようになった。

シェルターのロケーション

シェルターを作るにあたってまずしなければならないのが、シェルターに適したロケーションを探すことである。どんな場所が適しているかは状況によるが、ここでは寒い時期に暖かく眠るためのシェルターを作るという前提で話を進めよう。

現代人は家の中が暖かく、外は寒いというように単純に考えてしまいがちだが、屋外にもとても暖かい場所があったり、反対に1日中寒いような場所があったりと、地形や日の当たり方などによって状況は大きく変わるものだ。自然が織りなす暖かく快適な場所を見つけることができれば、自分が費やさなければならないエネルギーも必要なテクニックも少なくて済むので、シェルター作りにおいてそういった場所を見つけることがとても重要である。自然が作る暖かさを人間のテクニックだけで作ることは極めて難しい。アウェアネスを働かせて理想に近い場所を見つけてほしい。

暖かい場所の条件は、まず日当たりがいいことだ。日当たりがいいというと北半球であれば真南側が開けた場所がいいように思うが、理想は真南ではなく少しずれた南東側から太陽の光が差す場所。なぜ東側にずらすのかというと、朝太陽が現れるのが東だからである。

北半球に住む原始的な生活を営んでいる民族の多くは、シェルターの向きを南東向きにする。1日のうち最も寒さを感じる明け方、そのとき彼らは東の空から昇る太陽の光を心待ちにしている。太陽の光というのは、焚き火では得られない体の芯まで染み込んでくる暖かさを与えてくれるからだ。そこで彼らは、東からの朝日をいち早く浴びることができ、太陽が上がってからもできるだけ長時間太陽の恩恵が受けられるよう、シェルターの入り口を南東に向けるのである。

風があたらない場所であることも大切だ。とくに北や西からの風は冷たいので、そちら側に風をブロックしてくれるような大きな岩や茂み、斜面などがあるといいだろう。ちなみに、夏は南から吹く風が欲しいので、このように南東側が開けている場所というのは、夏場にシェルターを作るのにも適しているケースが多い。

さらに、水場との距離も考えなければならない。水場が近いと便利だが、夜になると水場から冷気が上がってくる。もし水場の方から風が吹いたりすると、冷たい風が当たり続けることになってしまうので、私はシェルターを作るときは水場から75～100m離れるようにしている。

当然、安全性にも気を使わなければいけない。石が落ちてきそうな崖の下、倒れそうな枯れ木のそば、枯れ枝が落ちてきそうな場所は絶対に避けなければならない。枯れ枝はそれほど太いものでなくても高い場所から回転して落ちてきたりするので、当たれば大怪我をする可能性がある。また、雨が降ったときに水が流れてくる危険がある枯れ沢や、水が溜まりそうな窪地も避けたい。

あとは、クマなど危険な生物の痕跡がある場所も避ける。その時期の最も快適な場所を知っているのは動物なので、むしろ動物の痕跡がある場所を選びなさいとも教わったが、やはり危険な動物やアリ、ダニなどの不快な虫がいない場所を選んだほうがいいだろう。夏場は湿っている場所の方が虫が多いので、そういう意味でも水場から離れた方がいい。

あとは快適で作業しやすい平坦な地形、そしてサバイバル活動で必要になる材料が多くある場所が好ましい。シェルターに適したロケーションを見つけることができれば、シェルター作りの工程の半分は終わったようなものだと言われている。全ての条件を満たす場所というのはなかなかないので、何を妥協すべきか、しっかり感じ取りながら場所を選んでほしい。

道具を使わないで作るシェルター❶

北山ハット

1つ目に紹介したいのは、北山ハットという簡易的なシェルターだ。これは2001年から続いている私のワークショップの初期から参加、そしてサポートしてくれている北山元明氏が考案したもので、道具が必要なく、素材も落ち葉だけ。次に紹介するデブリハットより短時間で作れて、なおかつとても暖かく過ごせる優秀なシェルターである。

北山氏は、ワークショップのときに毎回その晩を過ごすためのシェルターを作っていたが、1泊2日のワークショップの初日を終え、夕食を済ませてから作り始めるので、もう周囲は真っ暗闇。疲れてもいるし、できるだけ素早く暖かいシェルターを作らなくてはならない。その挑戦を毎回行い、試行錯誤の末に辿り着いたのが、積み上げた落ち葉を布団のようにするこの形だった。

落ち葉を積みあげて中で寝るだけなんて簡単だと思うかもしれないが、それが一筋縄ではいかない。落ち葉の中に入るときに落ち葉が崩れて体が露出してしまったり、そもそも落ち葉の厚さが全く足りていなかったりすることも多いので、ぜひ実際にやってみてコツをつかんで欲しい。

シェルター作りに限らずアウトドアのテクニック全般に言えることだが、とにかく自分で実際にやってみることが大切である。本で読んだだけ、動画を見ただけではわかったような気になってしまうことは私も多いが、自分で実際にやってみると簡単そうに見えてそうではないことがわかるし、どこに気をつけなければいけないかという気づきも得られる。

■北山ハットの作り方

1

落ち葉を集めてU字型に積み上げる。サイズは、横になったときにUの字の凹んだ部分に自分がすっぽり収まるくらい。暖かく眠るためには、Uの字の幅、高さともに1mくらいは欲しい

2

体の下になる部分に50～60cmの厚さで落ち葉を敷き、一度寝転んでみてサイズが足りているか確認。大丈夫なようなら、Uの字の中に座り、Uの字の壁を自分の体の上に崩していくように落ち葉をかけていく

3

落ち葉をかけるときには、服の中に落ち葉が入らないように上着をズボンの中に入れたり、ズボンの裾を靴下の中に入れたり、フードを被ったりするといい

4

両脇のUの字の壁を内側に崩すようにして、そのまま上半身にも落ち葉をかければ完成。片手だけ残して全身にかけ、最後もう一方の手を静かに中に入れるのがコツだ

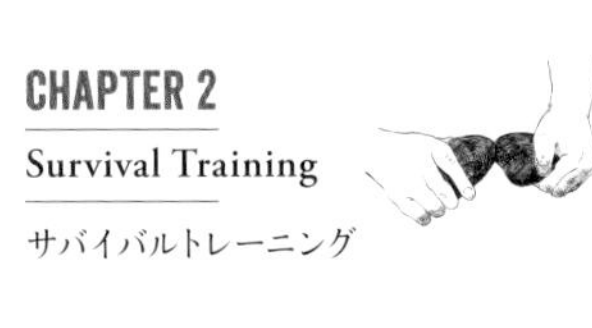

道具を使わないで作るシェルター 2

デブリハット（完全版）

デブリとはゴミなども含め落ちているもの全てを指す言葉だそうだが、このシェルター作りではそれは小枝や落ち葉を意味する。道具もいらないし、素材も森にある枝と落ち葉だけ。フルサバイバルの技術を手に入れることは、究極の自由を手に入れることだと教わったが、その感覚を存分に味わうことができるシェルターだと私は思う。自分が好きなときに、何も持たずに山に入っても、そこにあるものだけで生き延びることができると考えるだけで心が躍るし、本当の自由を手に入れたような気になれるのである。

デブリハットも北山ハットと同じように落ち葉によって自分の体温を閉じ込めるタイプのシェルターで、数日から数週間過ごすための短期用とされている。私の前著『ブッシュクラフト―大人の野遊びマニュアル』でも基本的な作り方を紹介したが、ここでは入り口を設けさらに断熱性能を高めた完全版のデブリハットの作り方を紹介する。

デブリハットを作るには大量の落ち葉が必要だ。できれば乾いたものが望ましいが、いざというときには濡れた葉でも体温の保持が可能だ。また、雨の日でも少し掘れば乾いた葉があることが多い

デブリハット（完全版）の作り方

1

ロケーションが決まったら、シェルター内部のサイズを決定する。横になって気をつけをした状態で、体回り＋手の平1つ分ほどのスペースを確保して枝などで線を引く

2

落ち葉を集め、引いた線の内側に置いてベッドを作る。落ち葉の量は多いほうが暖かいが、最低でも肘から指先くらいまでの厚さに。落ち葉を叩いて押し固めるようにする

3

一度寝てベッドの沈み込みをチェック。体重がかかったときに薄くなってしまうようだと寒いので、潰れたところにはさらに落ち葉を載せる。これを何回か繰り返す

4 POINT

尾根（棟）になる棒を見つける。長さは手を真上に伸ばした長さプラス1mぐらい。少なくとも手首くらいの太さがあり、なるべくまっすぐで腐っていないものを選ぶ

5

尾根を支える2本の枝を探す。先端がY字になっているもので、長さは自分の足くらい。長すぎる場合は、こうして二股の木に挟んで押して折るといいだろう

6

POINT

足先が入る部分は少し高さがあったほうがいいので、数本の枝を置いてその上に尾根となる枝を載せた。また、尾根がずれてしまわないように、石を置いて留めている

7

尾根となる長い枝の先端を、2本のY字の枝で挟み込むようにして固定。これでできた三角形の部分から出入りすることになる

8

基本となる骨格ができた。ここで一度サイズを確認しておいてもいいだろう。大きすぎると断熱性が低くなるし、小さすぎると中に体が収まらない。適度なサイズが大切だ

NEXT PAGE

9

あばらを尾根に立て掛けていく。あばらにする枝は、指でOKサインを作ったときにできる輪の太さくらいのもの。なるべくまっすぐなものを選んだほうが座りがいい

10 POINT

あばら同士の間隔は15cmくらい。長さは尾根に立てかけて少し余るくらいに。写真のように尾根から高く飛び出してしまうと、雨がこの枝を伝って中に入ってきてしまう

11 POINT

くの字だったり、湾曲が大きすぎる枝は、このようにくるりと回って内側に曲がった形になってしまう。ただでさえ狭いシェルターがさらに狭くなるので注意したい

12 POINT

立て掛けた枝の下側のラインが、このように真っすぐになるよう心掛ける。これがそろっていないと壁の厚さが部分によって変わり、断熱性のムラやすき間風の原因となる

13

あばら作りの作業を終えたところ。あばらの1本1本がしっかり安定するように。また落ち葉をかぶせたときに飛び出てしまう枝がないように、ていねいな作業を心掛ける

14

屋根を作ってからでもいいが、今回は入り口を先に作った。長さが50cm程度、太さはOKサインの輪ぐらいで、先がY字になった枝を4本用意。これで入り口の骨組みを作る

15

用意した枝4本を、ドリルのように回しながら写真のように地面に差し込む。この内側が入り口のトンネルとなるので、ギリギリ体が通るくらいの大きさにする

16

Y字の枝の上にまっすぐな棒を2本載せる。シェルター側の端は、あばらの一番手前にある、尾根を支えている枝に触れるようにする

NEXT PAGE

17

入り口のトンネルの上に屋根を作る。なるべくまっすぐな枝を集めて、3〜4cmの間隔を開けて置いていく。後でこの上に落ち葉を載せる

18

トンネルに枝を立て掛けて壁を作る。このときもトンネルより高く飛び出てしまわないように、適切な長さで枝を折り、まっすぐ立て掛けるように。雑に作業しないことが大切だ

19

格子を作る作業に入る。指ぐらいの太さの枝をあばらに斜めや横方向に乗せていく。載せる枝があばらにぴったりと沿うようにして、すき間を作らないこと

20 POINT

落ち葉を載せていく。落ち葉は手で固めて四角いブロックを作り積み重ねていく。下のブロックを叩いて押し固めてから次のブロックを置くようにすると密度が高まる

21
気温が0℃でも汗をかくぐらい暖かいものにしたければ、落ち葉の厚みは腕1本分ぐらい必要だ。今回は肘先程度しか積み上げていないが、それでもかなり保温性があるし、雨が降っても中に染み込んでこない

22
内部空間の三角形の頂点部分にすき間ができてしまうので、そこに横方向に枝を入れ、その上に載せる落ち葉の支えにする。こうしてすき間をなくすことで、より熱が中に籠るようにする

23
入り口のトンネルの上にも落ち葉を載せるための枝を支えとして入れる。先に横、次に縦方向にも枝を置き、その上に落ち葉をかぶせていく

24
最後に一番上の天井部分にも落ち葉を載せる。当然、落ち葉が厚いほど断熱性が増し暖かくなるので、落ち葉をできるだけたくさん用意しておいたほうがいい

NEXT PAGE

25

シェルターの内側とトンネルの下側に、落ち葉をたくさん入れておく。これは最後自分が中に入ったときに、壁と体の間にできるだけすき間ができないようにするためだ

26

ドアを作る。入口を閉じられて出入りしやすいものであればどんなものでもいい。今回はすだれのようなスタイルにすることにした。入口の横幅に合う枝を10本ほど集める

27

集めた枝をつるで結んですだれ状に組む。すき間ができると冷たい空気が入ってくるので、枝と枝をきっちり密着させて結ぶようにする

28 POINT

最後につるで輪を作り、入り口のトンネルの上の枝に引っ掛けるようにした。この扉のおかげで、出入りが格段にしやすくなった

1

ここからは実際に中に入る作業だ。トンネルを狭めにしたので入るのが大変だが、それくらいのほうが暖かい。入るときに置いておいた落ち葉を押し込みながら少しずつ入る

2

下半身が入ったら横になり、芋虫のように体を波打たせながら少しずつ中に入っていく。北山ハットのときと同じように、上着の裾はズボンの中に入れておくと落ち葉が入りにくい

3

骨組みを壊さないようにしながら、少しずつ体を押し込んでいく。体が完全に収まるまでに10分ほどかかるくらいの方が、この動作で体が温まり、中に収まったときにはポカポカになる

4

扉のすき間に、内側から落ち葉を詰める。日ごとに落ち葉が目減りするので、寝る前に入口付近に落ち葉を用意しておき体を入れるときに一緒に中に入れるようにする

快適な居住空間を作る

余裕ができたら生活をアップグレード

先に書いた通り、シェルターの最大の目的は体温の保持であり、もし体温が下がってしまう状況であれば、快適性は二の次でできるだけ急いで完成させる必要がある。しかし、シェルターを完成させて水や火も確保できてしまえば、少し時間の余裕ができる。次に食料を手に入れなければならないが、1日中そのために作業するわけではないので、1日数時間を使って、シェルターをより快適な場所にしていくという作業をしてもいいだろう。

ここでは、デブリハットにリーン・トゥのシェルターを増築したものを作ってみた。増築した部分は、作業をしたり調理をしたりするためのワークプレイスで、左の写真にはないが空いている場所で焚き火をするのが普通だ。この場所で枝と葉を使って座椅子を作ったり、つるを編んでバスケットを作ったりすれば、生活をより豊かにしていくことができる。日中横になれるような場所にするのもおすすめだ。自然の中だと夜眠れないこともあるので、焚き火を見ながらうたた寝ができるような場所があるとありがたいのだ。

今回は、すでにあるデブリハットも壁として使い、さらに反対側と背中側に風除けの壁を設けたスリーサイドシェルターとしている。風は体温保持の大敵で、そよ風程度でもボディブローのように徐々に効いてくるので、風が当たらない空間を作るというのはとても大切なことだ。しかも、壁があると焚き火の熱が滞留してより暖かい空間になる。

シェルター、水、火までを確保できたら、食料を得る努力をしつつ、シェルターのグレードアップを図りたい。快適な環境を作ることで、作業の効率も上がるし、より楽しく過ごすことができる

1

デブリハットと同様に、尾根となる長くまっすぐな枝と、尾根を支えるための先端がY字になっている枝2本を見つける。横になれるよう尾根となる枝は2m程度のものを選んだ

2

尾根に枝を立て掛けて、あばらを作る。デブリハットの場合は尾根より高くなりすぎないようにしたが、この場合はむしろ高いほうが壁が高くなっていいだろう

3

サイド部分に厚みのある壁を作る。地面に数本の枝を20cm程度の間隔でしっかり刺し、それに編み込むようにして横方向の枝を固定。20cmほど間をあけこの壁をもう1枚作る

4 POINT

作った2枚の壁の間に、落ち葉を詰めて壁にする。土と草を混ぜた粘土を表面に塗れば、さらにしっかりした壁が作れる。土の壁は落ち葉と違って目減りしないのがいい

5

あばらとなる枝が大きく曲がっていると、居住空間側が狭くなってしまうので、なるべくまっすぐなものを選ぶ。並べるときの壁面が平らになるようようにする

6

あばらの上に、手の指程度の太さの枝数十本を横方向や斜め方向に置いて格子を作る。デブリハットと同じように、この材があばらにしっかり密着し、座りがいい状態にしなければならない

7

落ち葉を積み上げていく。落ち葉をブロック状にして置き、しっかり押し込んで平らにしてから次のブロックを載せるようにする。屋根の厚さは肘から指先くらいとした

8

座る場所に落ち葉を敷き詰め、その前に太めの木を置いて落ち葉留めにした。また、火の粉が飛ぶことを考え、壁にも太めの木を数本置いた

暑い時期のシェルター

高床式にしよう

当然、暑い時期にもシェルターを作ることがある。この場合、体温保持に関しては冬ほど気をつかわずに済む場合が多いので、シェルターの密閉度や断熱性をそこまで高める必要はない。

夏のシェルターで問題となるのは、地面の湿気やアリや蚊などの虫だろう。本来はそういう虫がいないロケーションを選ぶのが一番ではあるが、なかなかそうした場所は見つからないものだ。そこで少しでも不快感を減らすためにおすすめしたいのが、高床式のシェルターだ。

高床式にするには、下駄のように丸太を3〜4本置いて、その上に交差するように長めの枝を置いて床面を作る。針葉樹のように長くて真っすぐな枝があると、枝集めの手間が省けるし、下駄の丸太も少なくて済むので作るのが楽だが、なければ短い枝をたくさん使い、パズルのように組み合わせて床面を作る。短い枝でも、あいたすき間や窪んだ部分に枝を置いて埋めるなどていねいに作れば、きちんと平らな床面ができる。その上にクッションとなる草を敷き詰めれば、思っているよりずっと寝心地がいいベッドができる。虫除けのためには、敷き詰める草や夜露や雨を防ぐ屋根にヨモギを混ぜ込んだり、焚き火にヨモギやマツの葉を入れたりするといいだろう。

ちなみに、ヨモギには人をリラックスさせると同時に覚醒させる効果もあるとされていて、ネイティブアメリカンの人々は、夢を鮮やかに見たいときなどにヨモギを用いていたそうだ。私自身の感覚では、ヨモギの香りを嗅ぐとより深く眠れる気がする。

高床式にして、雨や夜露を避ける屋根を付けたシェルター。屋根の骨組みは、デブリハットとほぼ同じだが、断熱性は必要ないし、落ち葉もない時期なので、屋根材にイネ科の草を使っている

POINT

枝を井桁状に組んで高床にする。短い枝しかない場合でも、パズルのようにうまく組み合わせて平らにし、草を敷き詰めれば、とても寝心地のいい寝床ができる

POINT

細長いイネ科の植物で屋根を作るとき、ただ骨組みに立てかけるだけだと下に落ちやすい。写真のように輪を作って枝にかけるようにすると落ちにくくなる

水を得る

飲み水を得ることがひとつのゴール

シェルターを作り体温の確保に成功したら、次は飲み水を得なくてはならない。セイクレッドオーダーの頁（P56）で述べたように、タイムリミットは72時間。アクティブに行動したければ24時間以内に入手しなくてはならないとされるが、喉の渇きを感じる前に脱水症状は始まっているので、早ければ早いほどいいだろう。

脱水症状が進むと、頭の回転が鈍り、判断力が落ち、反射も遅くなってしまう。これらの症状は喉の渇きを感じる前に表れることもある。また、一度脱水症状になってしまうと、回復するのが困難であるため、先手を打つように水分補給を心がけるべきである。気をつけなければならないのは、暑い時期や場所だけではない。寒い時期の体温保持にも水分補給は重要だ。氷に囲まれた地に暮らすイヌイットは、狩ったアザラシを解体するときに、まだ残っているアザラシの体温を使い氷を溶かし飲むというが、これもこまめな水分補給を心掛けているからだと思う。

自然の中にある水を飲むときに気をつけなくてはならないのは、ウィルスや原虫だ。透明で一見きれいに見える水でも汚染されていることがあるので、見た目で判断してはならない。私自身は経験がないが、人は本当に喉が渇ききったとき、目の前に水があったら我慢できずに飲んでしまうものだという。しかし、サバイバルにおいて汚染された水を飲むことは、死を意味する。必ず煮沸などの処理をしてから飲むことを心掛けたい。

日本は水に恵まれた国だが、一見きれいな沢の水でも、上流に動物の死骸があったりする。少しでも危ないと思ったら、処理をしてから飲むべきである

水を得るためのさまざまな方法

飲み水を得るベストな方法は、川や池など淡水がある水場を見つけることである。ここではそのための方法を紹介しよう。まず、簡単なものとして、見晴らしのいい高い場所に上るという方法がある。道に迷ったときにも使われるテクニックだが、見通しが悪い場所にいたら有効だろう。

あるいは動物の助けを借りる方法もある。まず水鳥を見かけたり鳴き声を聞いたら、その方向に水場がある可能性が高い。水鳥がどんなものかわからない人もいると思うが、日ごろから自然に親しみ水鳥の種類をいくつかでも知っておけば、例えば羽の動かし方が少し遅いとか、鳴き声が恐竜っぽいとか自分なりに水鳥の共通点がわかるようになり、初めて見る鳥でもそれが水鳥だろうと推測できるようになる。また、野生動物は水場へ向かうので、獣道も水場への道標となる。

自分自身のアウェアネスを高めておくことも大切だ。肌を包む湿気というか、香りというか、表現しにくいがその感覚を普段から感じて自覚しておくと、知らない土地でも水場がそこにあることを感じることができる。感覚瞑想でアウェアネスを鍛えておけば、水場を探し出す際の大きな味方にもなってくれるだろう。私自身、秘密の場所に通い込んで感覚を鋭くしていたときには、ほぼ100％の確率で雨を察知できたし、ロジカルな部分では認識できなくても「なんとなくこっちに水場がある気がする」というアンテナが働き、実際その通りであることも多かった。

水場を見つける以外にも方法はいろいろとあるが、残念ながらその多くは費やす労力に対し得られる水が少ない。春先のブナなどは幹に大量の水を含んでいることがあるが、そういう場合も近くに沢があることが多いのでそれを探した方が効率的だ。

川や池

最も簡単なのが、川や池を見つけること。川の水はできる限り上流で採取する。セオリーとしては、生物が元気に生息していれば、化学物質汚染の心配はないと言われる

地下水

水が染み出ているような場所を掘るという方法もあるが、掘るのに消費する体力に見合うだけの水が得られるかを見極めることが重要

雨

まさに運を天に任せるということになるが、木の葉や木などで器を作ることができれば、雨も有効な水源となる。ただし、雨水もそのまま飲まず煮沸消毒を行った方がいい

朝露

空気中の水分が冷やされて液体となった露を集めることもできる。とくに朝方の植物には多くの朝露が付着しており、衣服などに含ませて絞れば水分を採取できる

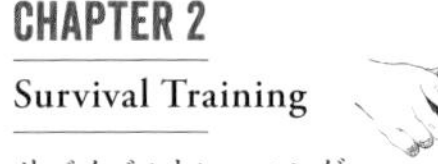

飲み水に処理する3つの方法

得た水を飲めるようにするには煮沸が有効だ。浄水器や消毒薬などの文明の力を使わない、もっとも原始的な浄水方法と呼べるかもしれない。細菌や原虫だけでなくウイルスまで処理できる優れた浄水方法である。煮沸は水を沸かすことで殺菌するが、そのためには器が必要だ。竹で作る器は火にかけて沸騰させることができるが、普通の木や葉で作る器は火にかけることができない。しかしこの場合でも、熱く焼いた石を中に入れて沸かすことができる。

煮沸では取ることができないにごりを除去できるのが、濾過だ。煮沸して殺菌ができていれば、にごっていても味が悪くても飲むことはできるし、煮沸後しばらく待って、上澄みを飲むという方法もある。しかし、砂や小石を使って濾過すれば、にごりを取ることができる。さらに、砕いた炭が手に入れば、透明度だけでなく、味と香りも格段によくなる。私は、何かしらの器に小石、砂、炭の順番で入れて濾過するが、上手に濾過器を作れば透明で匂いもない水が得られる。

なお、煮沸した水を濾過器に通すのは、濾過材に含まれる菌やバクテリアが再混入する気がして、個人的には行わない。熱した石を入れる場合は、石に付着していた汚れが入ってしまうが、それが気になるなら、少し贅沢な方法だが焼いた石を一度貯めた水の上澄みなどのきれいな水に一瞬通してから煮沸したい水に入れれば、にごりもないきれいな飲み水ができる。

水を沸騰させ、発生した水蒸気を冷やして水分にする蒸留という方法もある。この方法なら、細菌なども除去できるし、海水を真水に変えることもできる。ただ、エネルギーの消費量の多さに対し、わずかな水分しか得られないので、この方法で飲み水を確保し続けるのは難しいかもしれない。

水を処理するための一般的な方法

煮沸 原始的だが非常に効果が高い方法。水が溜まる凹みがあればいいので、地面に穴を掘って葉を敷いたり、岩の凹みを使ったりしても行える

蒸留

純度の高い水が得られるが、水を沸騰させるのに大量のエネルギーが必要になる。この方法単独で継続的に飲み水を得るのは現実的ではない

濾過

ウィルスまで除去するものも市販されているが、自作の濾過器はあくまで濁りや匂いを取るためのものと認識しておこう

打製石器を作る

摩擦式火おこしを作るために必須

火を手に入れるためには、火おこしの道具が必要である。そして、火おこしの道具を作るためには、石器が必要となる。作る石器は、石を打ち砕いて作る打製石器である。

打製石器のタイプはいろいろだが、大きく分けて斧のように使う大きめのもの、それより少し小さくて切ったり削ったりする作業に向くもの、先が尖っていて穴開けなどに使うもの、そして刃が薄くより細かい作業ができるものがある。

作り方次第では非常に有用な道具で、驚くほどの切れ味を持つものも作れるが、それでもこうした原始的な道具を使うと、「これほど長い時間でこれしか削れないのか」などと自分の力の無さを思い知ることになる。だが、そう感じてしまうのはナイフなど現代の刃物の効率の良さを知っているからなので、それを忘れ石器のリズムに身を投じるといい。自然の中で自分の小ささを知ることは一見ネガティブな感じがしてしまうかもしれないが、それは裏を返せば自然の偉大さを感じるということであり、こうした原始的な道具を使うと自然に対する畏敬の念がどんどん育まれていく。

そして、何か作業をやり終えたときには、今度は自分の偉大さを感じることができる。自分の偉大さというとエゴが感じられるがそうではない。自然の力と一体化した自分という存在の偉大さを感じることができるのである。石器というのは、そういう道具だ。

火おこし道具を作るためには木を平らにする、枝の先端を尖らせる、凹みを作る、切り込みを入れるという作業が必要になるので、それぞれに適した大きさ、形状の石器を作らなくてはならない

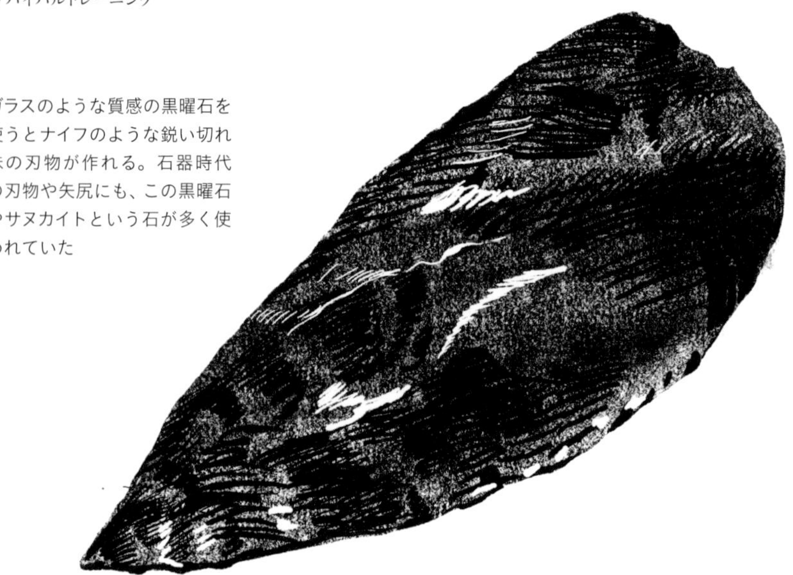

ガラスのような質感の黒曜石を使うとナイフのような鋭い切れ味の刃物が作れる。石器時代の刃物や矢尻にも、この黒曜石やサヌカイトという石が多く使われていた

石器に加工しやすい石材

打製石器は、石器本体となる石にハンマーストーンというもう1つの石をぶつけて作る。

使う石の質は、単色で混じり気のないものがいい。不純物がないほうが、衝撃が素直に伝わるからだ。どう叩くとどう欠けるかというのは感覚で覚えるのが一番なので、最初はそういった石で練習を重ねるといいだろう。厚みがあるビール瓶の底の部分を使って練習する人もいる。

同じく形状は薄く平らになっているもの。薄いと刃となるラインがすでにできているので、そこに刃をつけるだけで済む。また、持つところがゴツゴツしていると痛くて持ちにくいので、表面が滑らかで持ちやすいものを選びたい。

ハンマーストーンも、表面が滑らかで持ちやすい形状のものにする。思い通りに石を割るには1点に打撃を集中させなくてはならないので、当てる部分が細くなっているようなものもいい。

質感　使う石は、写真の左の石のように単色できめ細やかな質感のものがいい。右の石のように、色が白っぽくさまざまな成分が混ざっているようなざらついた石は、どのように割れるか予測しにくいし、刃をつけにくい

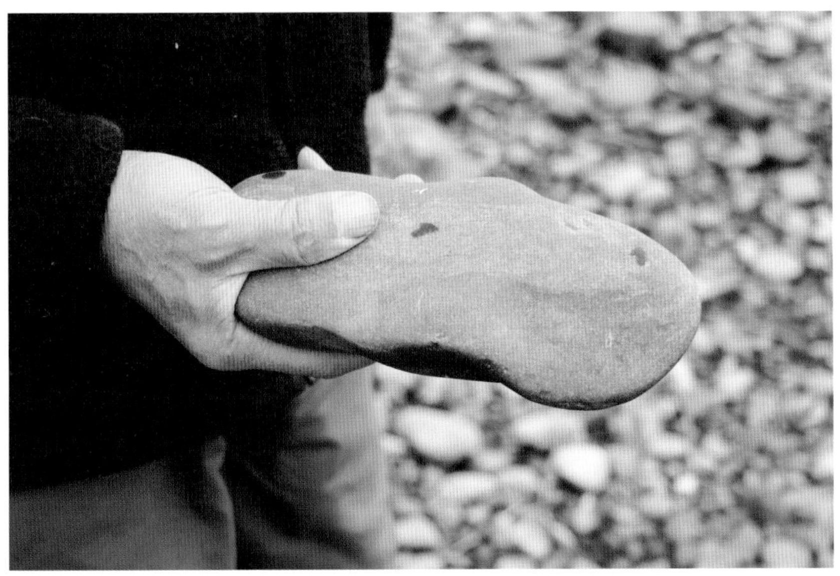

形状　石を探すなら河原がいいだろう。写真は、ハンマーストーンとして使用し、その後手斧の本体としても使用した石。質がよさそうだと思ったら、とりあえず拾っておくといい

石の加工方法

最も原始的な割り方は、石器にする石を地面にある硬い石にぶつける方法で、これだけで刃がついた石器になることもある。石に筋が入っていたら、そこを意識してぶつけると、きれいに直線的に割れる。なお、ぶつける石は、表面が滑らかで丸みがある形のものを選ぶようにする。ゴツゴツした石だと打点がいくつもできてしまうため力が分散し割れにくくなってしまう。

また、ハンマーストーンを持って石を叩くと、叩いた部分が割れるのではなく、叩いた点を頂点として130度の円錐状に衝撃が広がり、打点の裏側が剥がれるという現象が起きる。そのイメージを持って作業すると刃がつけやすいだろう。

実際に加工するときには、安全に注意。粉塵が出たり破片が飛んだりするので、作業は屋外でするのが基本。目を守るためにゴーグルやサングラスなどを装着したほうがいいだろう。

始めはラフに

地面にある硬そうな石に石器になりそうな石を叩きつけて、石器のベースとなるものを作る。これだけで鋭い刃がつくこともある。破片が飛ぶので怪我に注意しながら行うこと

手で石を持って地面の石に叩きつけてもいい。石器になったときに握りとなる部分を手で持ち、振り下ろして刃となる端を当てるようにすると、想定した形になりやすい

刃の微調整方法 ハンマーストーンで石の端を少しずつ叩いて刃をつけていく。石器となる石の中に半分だけ水が入っているとイメージ。水が入っている部分だけを叩くようにすると、その裏側がきれいに剥がれやすい

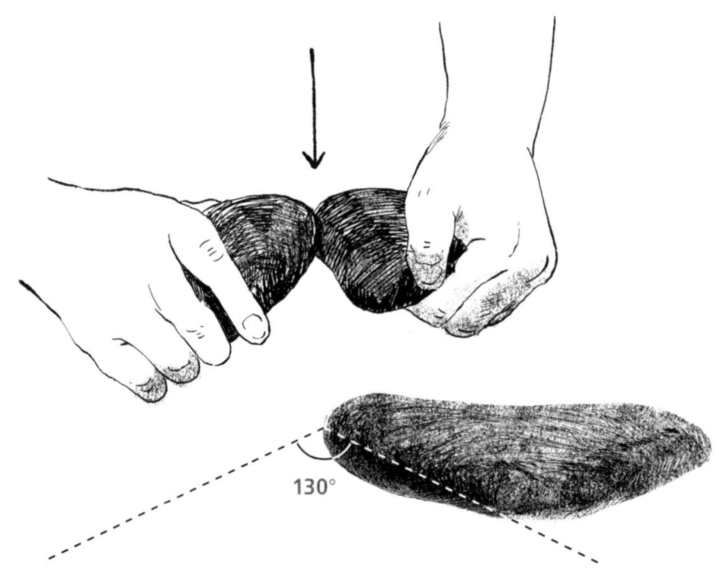

石をぶつけた衝撃は、打点を頂点とし130°の角度で円錐状に広がっていく。この円錐の内側の部分を剥がすイメージで、何回も叩いて微調整を行う

■尾根を狙っていく

1

叩くときには、尾根状になっている部分（ペンで印をつけた部分）を剥がすつもりで狙うといい。そうすると尾根に沿って力がより奥まで伝わり、鋭利な部分ができやすい

2

尾根がない石であっても、2回割ればその間が尾根となる。ハンマーストーンや石器となる石が凸凹していると、当たる部分が複数できて力が伝わりにくいので注意

3

打点が複数できてしまうようなら、ガリガリと擦り合わせて表面を滑らかにする。叩くときには石の端をかすらせるように。厚めに叩くと握る部分が割れてしまう

4

最初に印をつけた尾根の部分がきれいに剥がれて、鋭利な刃がついた。持つ部分は厚みがあって握りやすく、木を伐ったり削ったりできる万能な手斧として使うことができる

小さく、より刃が鋭い石器を使えば、木を削って尖らせたり、狩った動物を解体したりすることができる。いろいろなタイプのものを作って、うまく使い分けるといいだろう

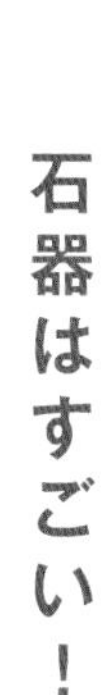

石器はすごい！

石器が完成したら、枝を削って平らな面を作る、切り込みを入れて切断する、先を尖らせるという練習を実際にしてみよう。その過程で、自分の欲する石器のイメージがリアルタイムに感じられる。それに合わせて石器をブラッシュアップすれば、自分がその場で必要としている理想の石器にどんどん近付いていくはずだ。

とはいえ、すぐ火をおこさなければならない状況なら作り込む時間はない。そんなときには、人間側が石に持ち方や力の入れ方を合わせるという意識も必要になる。

ただ、不思議なものでそういう意識で作業していると、自然と動きが洗練され、ケガもしにくくなるものだ。ナイフは使う人の技術が未熟でも切れてしまうためケガをすることがあるが、石器はそういうことがない。石器は人間の身の丈に合った道具と言えるのかもしれない。

紐を作る

つるや木の根で作る即席の紐

フルサバイバルにおいて紐が必要になる場面を考えると、まず思い浮かべるのは弓錐式火おこし（P126）の道具を作るときだ。あるいは、シェルターのドア（P76）を作ったときのように、何かと何かを結び付ける必要があるときにも役立つ。

材料は、つるやツタ、木の根、植物の茎、木の皮などで、自然の中にはこうした繊維質のものがたくさんある。ある程度強度があるものを見つけたら、縒って紐を作ってみるといいだろう。そのままでは硬すぎる場合は、手でこねたり揉んだりして柔らかくして使うといい。

つるやツタはしなやかで強度も高く、森での入手もしやすい素材だ。そのままでは難しいが、縒って強度を高めれば弓錐式火おこしの弓弦にもなるし、そのままでもバスケットを作ったりするくらいはできる。太さがあるものは裂いて使えば長さも増すし、裂いてできた面は平らで摩擦抵抗が高くなるので、何かを結び付けて固定するのにも適している。2本に裂くときに、どちらかが細くなってしまう場合は、少しでもバランスが悪くなった時点で細いほうをまっすぐ持ち、太いほうを折り曲げながら裂くとそれが逆転する。なお、ツタウルシなど毒性がある植物に注意すること。

木の根もよく使う。これのいいところは、季節を問わずいい状態のものが見つけやすいところだ。つるやツタだと真冬はカラカラに乾燥して折れやすくなってしまうことも多いが、土の中にある根は1年を通して水分を含んでいるので加工しやすい。

つるや木の根で作る即席の紐

つるや木の根は、それほど強度を必要しない部分であればそのまま紐として使えることもある。森を歩いていてよさそうなものを見つけたら、採取しておくといいだろう。ただし、根は木にとって1番の弱点とも言われる。厳選して必要以上に採取しないよう心がけよう

つるの根も使える

枯れてすぐ折れてしまうようなつるでも、地中部分は水分を含んでいることがある

つる植物

よく使われるのがつる。枯れているより青々としているものの方がしなやかで強度が高い

■木の根で紐を作る

木の根で作った紐。このように結び目が付けられるくらいしなやかなものができれば、用途が広がる。つるの場合も方法は同じ。いろいろな材料で紐作りをしてみるといいだろう

1

まずは木の根を探す。あまり深い部分の根は掘り起こすのが大変なので、深さ10〜20cmに埋まっている根を探す。太さは使用目的にもよるが、直径5mm以内のものが使いやすい

2

半分に折って縒るので、おおよそ使いたい倍の長さが必要になる。弓錐式火おこしに使うなら、腕の長さの2倍くらい。今回は練習ということで腕の長さくらいにした

3
わきから出たひげ根などは石器で切断してきれいな一本根にしておく。このあと木の台の上に乗せ、木の棒で根を叩いていくが、台も棒も凸凹のない表面のなめらかなものを使用する

4
棒で根を軽く叩き、円形の断面が平らになるまで潰す。全部やり終えたら縦にして同じことを行う。するとだいたい皮と芯の部分が分離する

5
剥けた皮は取る。分離しないようなら、そのまま皮も編み込んでしまっても構わない。それほど強度はないことが多いが、皮だけでも紐として使うことはできる

6 POINT
さらにもみ込み、根を繊維状にしてから綯る。弓弦として使うなら、節のような部分があったら爪で凸凹を取り除いておく。こうしたいびつな部分があると、火おこし作業がやりにくい

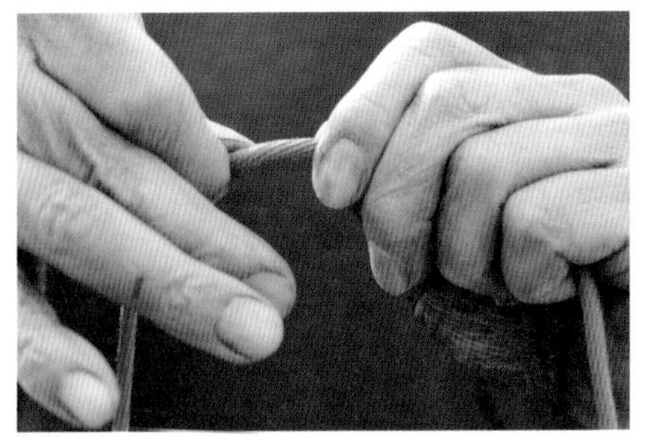

1

綖り方を説明するが、わかりやすいようにロープ（以下、繊維と表示）を使っている。まず、繊維の中央あたりで2cmほど間を開けて両手の指でつまみ、左右に引っ張る

2

テンションを保ったまま、つまんだ指で繊維を捻る。限界まで捻ったらテンションを少し緩める。すると、繊維がくるんと回って繊維同士が絡み合う

3

絡んだ部分を左手の親指と人差し指でしっかりつまんで固定。繊維2束がこちら側に垂れるようにする。ここから綖り始める

4

自分から遠いほうの繊維を右手の親指と人差し指でつまみ、引っ張ってテンションを保ったまま時計回りに捻る。左手はできたねじれをつまんだまま。そこから5mmほど離れた部分を右手でつまむようにする

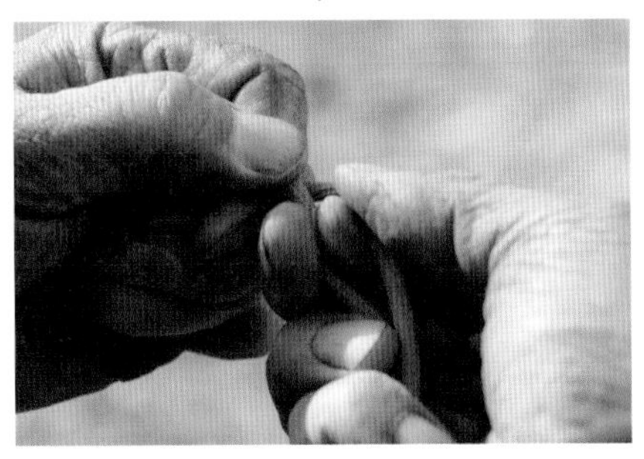

5

これ以上捻れなくなったら、そのまま右手の人差し指を2本の繊維束の間に入れ、人差し指の爪部分と中指の腹を使って手前側にあった繊維をつかむ。ねじれをほどかないように

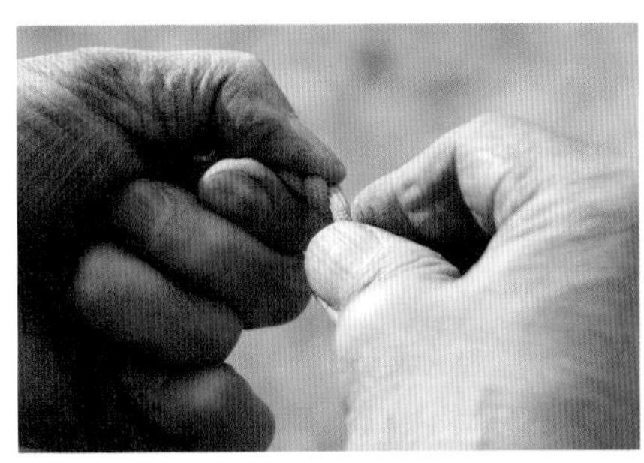

6

右手を元に戻すようにして反転させる。戻すときに左右の手の間隔を少し広げてテンションをかけながらにする

7

左手の指を今できた交差部分までスライドさせてつまむ。そうすると3と同じような状態になるので、4〜6の作業を繰り返していく

8

指が疲れる作業だが、続けていくと綯った部分がだんだん長くなっていく。ティッシュペーパーを割いたものなどでもできるので、繰り返し練習するといいだろう

火を得る

水の処理、食材の調理にも使用できる火

サバイバルのための優先順位としては、空気、体温、水の次になる火だが、体温を保持するためや水を煮沸するためなど、より早い段階で必要になる場合もある。それでなくても火があれば人に大きな安心感やエネルギーを与えてくれるものなので、私だったら初日から火をおこしたいと思う。ところが、ナイフもないフルサバイバルで火を手に入れるというのは、そう簡単なことではない。私の師匠であるトム・ブラウン・ジュニアも、どんなにトレーニングを重ねても火が絶対におきない状況は存在すると話していた。しかし、手に入れる難しさがあるからこそ、火がうまくついたときには命がつながったと心から実感できるのだと思う。

火は本当に不思議な存在だ。炎はそこにあるのに形がなく、触れることもできない。木という形あるものも、炎の中で少しずつ痩せていき、最後は灰という姿になってしまう。ネイティブアメリカンの人々も、無と有を行き来する火に対してとても特別な感情を抱いており、フィジカルとスピリットを仲介するものとして考えていた。

夜、彼らは焚き火の周りに集まり、物語を語り合い、エンビジョニングを行う。そして眠り、夢をみる。そして彼らがビジョンと呼ぶものにつながっていったのだろう。ライトがなく、月明かりと火の明かりだけで過ごせば、この世からなくなる現代病がたくさんあるだろうと言われたことがあるが、私もそんな気がする。

水を飲めるようにしてくれたり、食事をおいしくしてくれたり、明るさや安心感を与えてくれたりと、我われに多くを与えてくれる火は、サバイバルに必要なものの中でも特別な存在だ

薪を集める

ライトがないフルサバイバルでは、明るいうちに十分な薪を集めておかなければならない。また、他の作業も昼間に済ませ、夜になったら焚き火の光でできる作業しかしないというのが基本だ。

苦労しておこした火種を無駄にできないので、薪はよく乾燥したものを選ぶこと。折ったときにパキンと乾いた音がして、ちゃんと2つに分かれるものがいい。折れずにへの字に曲がってしまうようなものは少なくとも焚きつけには向かない。

乾燥した薪を見つけるには、ワイドアングルビジョンで森を大きく見て、日当たりがいい場所、水場から離れた場所、風通しのいい場所などをゆっくり探すといい。また、地面に落ちている枝より、枯れ落ちて木に引っかかっている枝の方が乾燥している場合が多い。

焚き火に必要なのは、火種を炎にする火口用に繊維質でフワッとしたもの、鉛筆の芯くらいの太

集めた薪は、太さごとに分けておく。地面に直接つかないように枝を敷くといい

さの枝、鉛筆くらいの太さの枝、親指くらいの太さの枝、バナナくらいの太さの薪の5種。足りないことがないように多めに集め、種類ごとに分けて置いておく。あとは火が長持ちする太めの薪も用意しておくといいだろう。

地面が湿っていなければ、乾燥した薪は地面にも落ちている。雨などコンディションが悪いときは、一番細い鉛筆の芯くらいの薪を多めに用意しておく

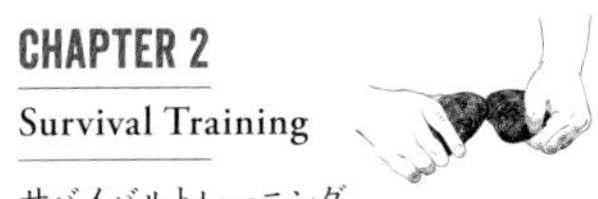

薪を組む

一刻も早く火をおこしたいという切迫した状況でなければ、焚き火をするときにはぜひ火床を掘って欲しい。必要な熱と光さえ得られれば焚き火はできるだけ小さくした方がエネルギーを無駄に使わずに済むが、火床を掘ると燃焼効率がよくなり、小さい火でも十分な熱と光を得ることができる。燃焼効率が高くなると薪を余分に使ってしまうという意見もあるが、私は燃焼効率がいいほうが焚き火を小さくできて薪の消費も抑えられると感じている。

火床にはいろいろなタイプがあるが、オーソドックスなのは円形で中心にいくほど深くするボウル型だろう。15cmほど地面を掘り、掘った土をその縁に盛ると深さ20cmほどの火床ができる。私は深めに掘るのが好きで、そうすると傾斜によって、崩れた熾(おき)が中心に集まりお互いを温め合っていくので、中心部の温度が上がり火の持続力も高まる。

火床を掘ったら、その上に薪を組む。焚き火のやり方には、薪を完全に組み上げてから着火する方法と、焚付けに着火したらその上に薪をくべていく方法があるが、私は前者の方が好みだ。その理由は2つあり、1つ目は多少湿った薪でも先に組めば、火が上にある薪を乾かしながら燃えてくれるから。そして2つ目は火が燃えているときに薪をくべようとすると、火が熱くてちょうどいいところに薪を置けないときがあるからである。好み次第ではあるが、安全を考えると先に薪を組む方法が火をつけたら放っておけるのでおすすめだ。

薪の組み方にはたくさんの種類があるが、最初は炎の高さが出る組み方、炎は低いが幅広い組み方、そしてその中間の高くもなく広くもない組み方の3つを覚えるといいだろう。

ティピー型

まず燃えやすい枯れ葉などを敷いて、その上に火口を乗せる。その周りに一番細い鉛筆の芯の太さの薪を円錐状に立て掛けていく

さらにその周りを囲むように鉛筆の太さ、指の太さ、バナナの太さの順で薪を立て掛ける。写真のように、火を差し込む入り口を開けておき、火のついた火口などを組んだ薪の中の火口に着火する

炎が高くなる組み方の代表格は、円錐状に薪を組み上げるティピー型。私は最近、この形がとくに気に入っている。その魅力を挙げると、まず炎の形に最も近いということ。例えば薪を横に置く方法だと、薪の中心あたりが燃えてその両脇が燃えていないということがある。そうすると、燃えていない部分から煙が出てしまう。けれど、ティピー型の場合は組んだ薪全体が炎の中に包まれやすいので、不完全燃焼をする部分がなくきれいに燃えてくれる。そのため煙が出にくいし、煙が出ても末広がりの形状のおかげで上に逃げる空気と一緒に煙も上方向に抜けてくれるのである。

組み方は、スギの枯れ葉などの火口を置き、周りを囲むように、鉛筆の芯の層、鉛筆の層、指の層、バナナの層と細い順に薪を立て掛けて膨らませていく。燃やして組んだ薪が崩れたら、2本の枝を箸のように使うなどしてまた円錐型に近くなるように薪を置き直す。焚き火を1つの炎にまとめるようなイメージでやるといいだろう。

井桁型 薪で井桁を組む方法。このように横長にして組むことで、横になって休むときに体全体に火の暖かさが当たるようにできる。寒さが厳しいエリアでよく用いられる方法だ

最初に下駄の歯のように2本の枝を置き、これと交差させて太めの薪を2本置く。これは薪が崩れないようにするための材で、その間に焚付けとなる細い薪を置く

写真のように薪を井桁に組み上げていく。横の長さは必要に応じて調整。着火するときは、一番下に火をつける。階層になっているので、炎がだんだん大きく育っていく

差し掛け型　枕となる木を置き、そこに薪を立てかけていく。これも使い勝手のいい焚き火だ。ティピーがホールのケーキだとしたら、これはその一片を切り出したようなものといえる

最初に少し太い薪を1本横において枕にし、薪を逆V字型に積んでいく。細い薪から徐々に太くしていくこと。火の熱が集中する部分がどこなのかを意識して積むといい

火を付ける前の状態。中央部、左右の薪が重なるあたりに着火したら、上に薪でふたをするようにかぶせて放っておく。そうすると、中に熱がこもって燃えやすくなる

原始の火おこし道具を作る

火おこし道具の種類

フルサバイバルな状況では、おもに摩擦式発火法で火おこしを行う。英語ではフリクションファイアと呼ばれている。

世界には50種類もの摩擦式火おこしの方法があるといわれているが、そのどれか1つがベストな方法だということはない。最も適した火おこし方法というのは環境によって変わるので、その場に合わせた方法を身につけることが大切である。左のページでは、世界でもポピュラーだと思える3つの方法を紹介している。

いずれにせよ、まず身につけるべきなのはフォームだ。始めは火がおきやすい乾燥した製材をホームセンターなどで購入して加工し、練習するといいだろう。まずはそれで確実に着火できるようになるまで練習を重ねるようにする。火がつきやすい材を購入して使うのは、ナイフで削ったとき、あるいは材と材を擦り合わせたときにどういう感触なのかなど、着火しやすい材の特徴を感覚として覚えるためでもある。その感覚がわからないと、森でどんな材を使えばいいかわからない。

私のワークショップの際、購入した材を使いますというと残念がる人もいるが、自然の中にあるものだけでいきなり火をつけようというのは、ボクシングに例えると入門した日に世界チャンピオンに挑戦するようなものだ。また、森で拾った材を使う際も、持ち帰って乾燥させたものを使用するのと、森の中で見つけてその場で火をおこすのとでは、全く別レベルの話だ。

錐揉み式

まっすぐな木の棒を、板状にした木に押し当てながら揉み込んで摩擦をおこす方法。パーツが少ない分、道具を作るのは簡単だが、テクニックだけでなくある程度パワーも必要になってくる

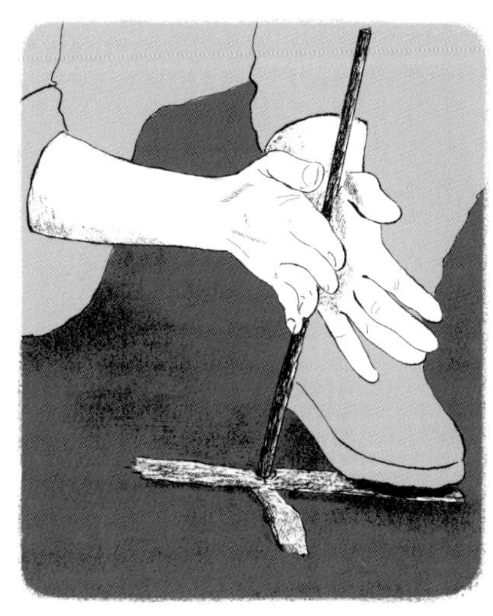

弓錐式

弓という道具を使うことで、コンスタントに棒を回転させ続けることができる。ただし、強度があり硬さにムラがない紐を作らなければならないなど、道具作りの難しさもある

竹刀式

枯れた竹同士を激しく擦り合わせる方法。これもその場で竹を調達しようとすると、材選びが難しく、枯れて乾燥した竹なら全て成功するかというとそうでもないし、同じ竹でも部分によって結果が違ったりする

原始の火おこしの喜びを知る

この本では自然の中から材を集め、石器を使ってそれを成形し、摩擦熱で火をおこすという方法を紹介している。これを実際にやってみると、その場にあるものだけで火をおこすということが、どれだけ大変なことかがわかるだろう。

不思議なもので、その場にある材を使っても1時間ほどで火がついてしまい、自分でも驚くことがあれば、1日中やり続けても火がつかずいじけて帰ることもある。また、いくらやってもつかなかったのが、違う材に変えたら簡単に火がおきたということもある。原始の火おこしは本当に奥深い世界で、自分でもまだまだつかみ切れていないというのが本音だ。もちろん自分の技術が不足しているということもあるが、本当に自然次第というのが身に染みてわかる作業なのである。

師匠からは、「自然の中で火をおこしてやろうということ自体がおごりである、そして火がおきなかったといじけるのもまたおごりである」というふうに教わったが、その通り。火おこしをすると自然に対する謙虚さが必要だと実感する。

ただ、だからこそ皆さんにはフルサバイバルで火をおこすという瞬間を味わって欲しい。自分で石を拾って作った石器、自分で森を歩いて集めた材、そして自分の技術を使い、苦労して火を作り出すことができた瞬間を、どう形容したらいいだろうか。私の場合は、宇宙を感じたというのがぴったりきた。自分が自然全体と1つになれた気がしたのだ。火がおきなかった時も、最後に空を見上げて壮大な敗北感を味わうのも気持ちがいい。ただ火をおこすことを目的とせず、工程の中で自然の素晴らしさに触れるという気持ちで臨んでいただけたらと思う。

自然の中の火おこしは難しい。煙は出ても火がおきないということもよくある。だからこそ、火がおきたときには嬉しいし、自然に対する感謝の気持ちも生まれる

錐揉み式火おこしを作る

木の棒を板状のものに擦り付けるというシンプルなやり方で火をおこす錐揉み式火おこしについて説明しよう。だが、その前にネイティブアメリカンの火おこしにまつわる古来の教えのようなものを皆さんと共有しておきたい。

彼らは、棒状のものを男性の象徴と考え、受け身になる板状のものを女性の象徴と考えていた。そして、男性と女性が絡み合い熱くなることで、火種という赤ちゃんが生まれる。この赤ちゃんに、火口という柔らかでフワフワしている食べ物を与えると、それが徐々に育っていく。しかし育つといってもまだ子供だ。なので、今度は消化のいい細い薪を与え、少しずつ少しずつ育てていく。そして、その大切な命を絶対に消さぬよう、常に見守り、ていねいに薪を組み直す。

こんな彼らの考え方はとても情緒的だし、火おこしを成功させる大きな助けになるので、ぜひ覚えておいていただきたい。

さて、錐揉み式火おこしは必要なパーツが少ないし、加工しなくてはならない部分も少ないので石器で作るのにちょうどいい方法だが、火をおこす作業はなかなか難しい。それなりに力が必要なので非常に疲れるし、手の平にマメもできる。そうなったらもう成功は難しくなってくる。乾燥したいい素材を使い、力を無駄なく伝える確かなフォームでもって短期決戦で決着をつけなくてはならない。もし途中で難しいと思ったら、体力を使い切る前にやめ、違う材で再挑戦するほうがいい。

たった2つのパーツをこすり合わせ、火種という赤子を生み出す錐揉み式火おこし。大げさかもしれないが、それは命をつなぐ儀式といってもいいだろう

材料

今回使った材は火きり板がマツ、火きり棒がメマツヨイグサ。どちらも水場から遠く風通しがいい場所で採取。火きり板に関しては、皮が剥けている方が中まで乾燥していることが多い。また火きり棒を選ぶ大切なポイントとしてまっすぐであることと、摩擦する表面積が小さくなるよう中空になっている植物を選んでほしい

1

火きり板は、乾燥度合いだけでなく硬さも重要。親指の爪でグッと押したときに崩れてしまったり、全く痕がつかないものはだめ。しっかりと痕がつく柔らかめのものを選ぶ

2

今回は座りがいいよう、マツを半分に割った。裏の棒を押し当てる方も石器で削り平らにする。石器の刃を立てて表面を毛羽立たせ、次に刃を寝かせて毛羽立ちを削ぐようにする

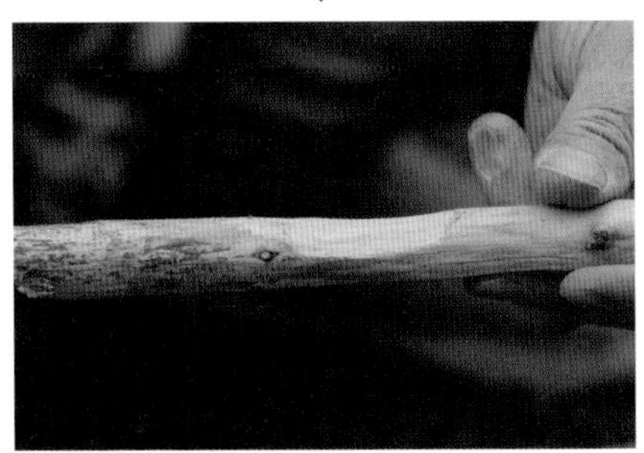

3

メマツヨイグサの棒を押し当てる平らな面ができあがった。削る幅はこれくらい。石器でもこれほど滑らかな仕上がりにすることができる

4

火きり棒の加工に入る。この棒が曲がっていると回転させたときに先が暴れてしまうので、とにかくまっすぐでなければいけない。長い茎から最も曲がりがない部分を選んで使う

5

メマツヨイグサの茎を石器で切る。まっすぐな部分を残そうとして、今回は45cmほどの長さになった。茎は中空構造になっているので、手で折るとヒビが入りやすい。石器で周囲に少しずつ溝を彫りカットする

6

途中に尖った部分があると、スピンさせているときに手の平をケガすることがある。棒の表面に突起があったら、石器で削るなどして落としておくようにする

NEXT PAGE

7

突起などは、石器の刃を立ててこするようにして完全に落とす。手の平に負担がかからないように、なるべくつるつるに仕上げるようにしたほうがいい

8

棒の先が均等に火きり板に当たるように、棒の先端部を石にこすりつけて平らに削る。力を入れすぎると割れてしまうので、平らな石の表面を使っててていねいにこする

9

先が尖った石器を使い、棒をスピンさせているときに板からずれないよう穴を彫る。最初は小さい穴を彫り、ある程度深く彫ったら、その周りを少しずつ削って広げていくようにする

10

穴を広く削っていき、すり鉢状にする。穴の大きさを棒の直径より大きくしなければならない。この穴を彫る作業が錐揉み式火おこし道具作りの中では一番大変な工程だろう

11

棒の収まりをよくするために、一度棒を板に当ててスピンさせる。すり鉢状の穴に棒を当てがい、ずれないように板に押し付けながら両手でこすり合わせる

12

スピンをしばらく続けていると、棒が収まる丸い窪みができてくる。写真のように、少し焦げてしっかり窪みができるまで行う

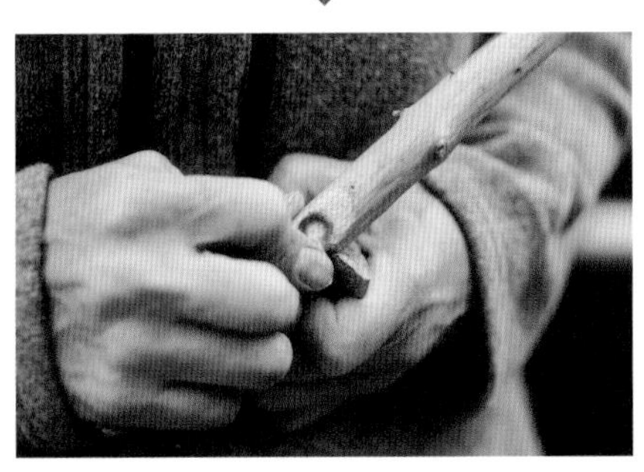

13

石器で窪みに向かって切り込みを入れる。石器は刃がノコギリ状ではなく、まっすぐなラインのものを使用。石器を手で固定し、押し当てた板を動かすようにするといい

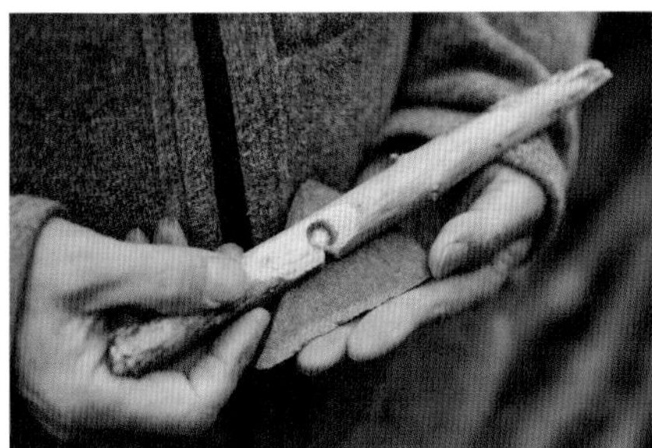

14

円の中心に向かって、少しずつ切り込みを深くしていく。深さは円の中心にギリギリ届かないくらいまで。写真くらいまで切り込みが入れば火おこし道具は完成だ

火をおこしてみよう

火おこしのポイント

最大のポイントは、スピンドルといわれる火きり棒をいかに地面に対して垂直に保ったままスピンさせることができるか。回しているときに棒がぶれないようにしないといけない。そしてそれと同時に、回転に圧力とスピードを加える必要もある。

ぶれずにスピンさせ、同時に圧力もかけるためにはフォームが大切で、自分の体の中心をスピンドルの真上に持っていき、自分の体重を使って圧力を加えるようにする。スピンドルを両方の手の平で強く挟み、体を前に倒すようにして体重を乗せていくが、このときに耳の真横ギリギリに手の平が来るようなイメージで、そのまま体の重さを落としていくといい。

もう1つ重要なのがスピンドルの回転数を上げることで、そのために手の平の全体を使ってスピンさせる。あとは、スピンさせながら徐々に手は下に下がってくるが、一番下までいったところで焦って元の位置に手を戻そうとすると、火きり板の窪みからスピンドルが外れてしまうことがある。そうすると、せっかく溜まった熱が冷やされてしまうので、手が下がったときに片手でスピンドルを握って下方向に押さえつけたままにし、反対の手を上に持ってきて素早く握る。そうしたら今度は下で押さえていた手を上に持ってきてまた両手でスピンさせるという動きが必要になる。

また、手の平のまめが潰れてしまうと、回復するまで力を入れてスピンさせられなくなってしまう。まめができたなと思ったら、早めに切り上げて回復を待った方がいい。

正しい姿勢

片足を火きり板に置いて固定。スピンドルをぶれさせないために、体の中心をスピンドルの真上に持ってくるようにする。そして同時に、自分の体重をスピンドルに乗せて下方向に圧力をかける

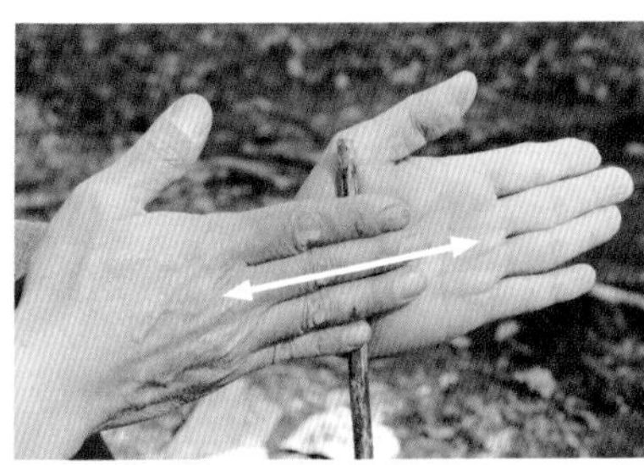

ストロークを長く

手の平全体を使うことで、回転数を高める。最初は難しいが、手首に近い部分から指先までを使うという意識を持って続けていれば、次第にできるようになる

スピンドルを連続的に回転させる方法

手を波打たせるように動かすフローティングというテクニックを使うと、手の位置を下げずに回し続けることができる。慣れないと大きな圧力をかけるのは難しいが、条件がそろえばこれで火種ができる

■錐揉み式火おこしで火をおこす

1

最初に火口（ティンダー）を作る。今回はスギの枯れ枝の皮を使用。剥いた皮を縦に長く裂き、両端を持って手で洗濯するように両手をゴシゴシとこすり合わせる

2

揉みほぐして柔らかくしていく。揉みほぐすスピードを上げると摩擦熱が生じるので、そこでパッと広げると湿気が飛ぶ。これを繰り返し、柔らかくフワフワな状態にする

3

この日はとくに地面が湿っていたので、できた火口をポケットに入れておいた。正直洗濯するときに大変なのだが、火口は絶対に湿らせてはいけない。神経質なくらい気を使う

4

スピンドルを火きり板の窪みに当てがい回転させる。地面は火種を消すのに十分な湿気を持っているので、火種の受け皿として火きり板の下に半割りにした枝を敷いた。乾燥した大きい葉などを使ってもいい

5

回転を続けていると、黒い炭の粉が火きり板の切り込みに溜まっていき、火種が生まれる（円の中心に小さな火種が乗っている）。最初は力を入れすぎず粉を溜めることに専念し、十分溜まったところで力を込めてラストスパート

6

火種ができたら火口を取り出し、中央にポトンと落とす。火種は小さな塊になっているので、それが崩れないように注意。火口で火種を包み込むようにする

7

柔らかく包んだほうがいいように思うが、私は火種の周囲の火口の密度を高めにする。息を吹きかけると火種が膨らみ、熱の逃げ場がなくなって火口に着火する

8

火口をスギの葉などもう少し粗めの繊維質のものでくるんでもいい。炎が出たら、組み上げた薪の下に差し込んで焚き火に着火。あとは自動的に火が広がっていく

弓錐式火おこしについて

弓錐式は錐揉み式と比較しパーツが多く道具を作るのが大変ではあるが、完成させてしまえば体力の消費も少なく、手の皮が剥けてしまうこともない。そして、体にかかる負担が少ないのでそれだけ長い時間トライができるのも利点だ。また、錐揉み式で使用するスピンドルはとにかくまっすぐな部分の長さを必要とするが、自然の中でそういう枝を見つけるのが困難な状況もある。それに対して弓錐式のスピンドルは短くて済むので、そういった状況下で活躍する方法だ。

火おこし道具を作るにあたっては、それぞれの材を太くし過ぎないのもポイントだ。使えるのは石器だけなので、材が太すぎると加工しにくくなってしまう。最大でも指でＯＫサインを作ったときにできる輪くらいの太さにする。

最も難しいのは弓弦の紐の部分だ。自然のもので作る紐は、市販のものと比べると強度が低い。それゆえに、なるべく紐に負担がかからないようにしなければならない。弓を水平でなく傾けてストロークし、紐同士が摩擦しないように心がける。紐作りには長い時間を要するので、なるべく短い紐で済むよう結び目は作らないなどの工夫も効果的である。そこで、ポピュラーな方法として、弓の端に固定するときに弓の端を少し裂き、そこに紐を挟んだら余りの部分に小さい止め結びでコブを作り固定するというのがある。また、弓のもう一端は、紐をぐるぐると弓に巻き付けそこを握り込んで作業する。そうすると、テンションの調整もしやすい。あとは、スピンドルができるだけスムーズに回転するよう、上のハンドピース側のスピンドル先端を尖らせ接触部をできるだけ小さくする、あるいは接触部に鼻の脂を塗って摩擦抵抗を小さくするといったことも行う。

それぞれのパーツに適した材を自然の中で見つけるのは難しいことだ。しかし、火おこしの成否はこれらの材の質に大きく左右されるので、妥協せず選ぶこと

ハンドピース
弓
火きり棒
紐
火きり板

弓、弓弦となる紐、回転させるスピンドル（火きり棒）、スピンドルを押し当てる火きり板、スピンドルを上から押さえるハンドピースが弓錐式火おこしには必要になる

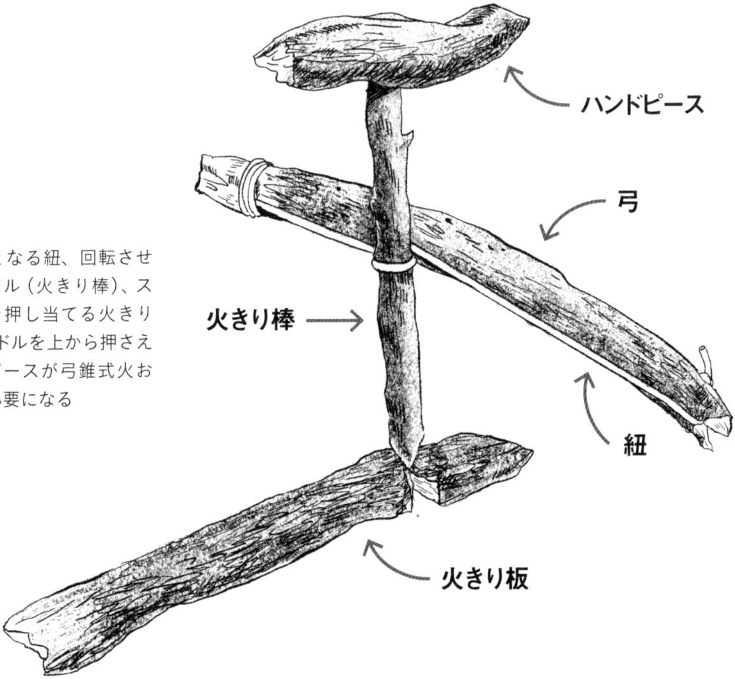

器を作る

水を入れるための容器

煮沸をするために必要なのが器。水を運ぶための水筒としてだけでなく、煮沸する鍋としての役割を果たすものである。水を溜めたり携帯できたりする水筒は便利なものだが、原始的な部族のなかには、水を運ぶこと自体を自然の摂理から外れた行為として考え、水筒を持つ習慣がない人々も多くいたようだ。私の知人にしばらくの間だが竪穴式住居で暮らしていた人物がいたが、その方は住居に水を引くことをしなかった。それもやはり、水を引いてしまうと何か大切なものが崩れてしまうという気持ちがあったからのようだ。

器を使う煮沸の方法は大きく分けて2つある。1つは器をそのまま火にかけて沸騰させるという方法。他の素材で試したことがないので断言はできないが、この方法ができる自然素材は私が知る限り竹と樹皮だけである。

もう1つの方法は、植物の葉や樹皮を亀裂が入らないように折り曲げて窪みを作って水を溜め、そこに焼いた石を入れて沸騰させるやり方。同様に、地面に穴を掘って樹皮や葉を入れたり、粘土を塗り込んだりして水が染み出さないようにし、そこに焼き石を入れる方法もある。この場合どうやって煮沸した水を飲むのかというと、しばらく時間が立ってにごりが沈むのを待ち、透明な上澄みに口をつけて飲む。葉を使うときには、湯が沸くと火が通って柔らかくなってしまうので、何枚か重ねて器にするといいだろう。

細い枝を割り、大きな葉を挟んで作った器。これは煮沸をするためのものではなく、水をどこかからどこかへ移すときなどに使用するもの。なるべく葉を折らないように器の形に固定するのが水漏れをなくすコツだ

地面に掘った穴に葉を敷いて水を入れた例。見えにくいが、何枚もの葉を重ねている。樹皮でもいいが、幅広で穴がないものを見つけるのは意外に難しい。使うなら、ヤナギの樹皮が私の好みである

熱した石を掴むためのトング

作業がスピーディーになる道具

焼き石で煮沸するためには、焚き火に石を入れてカンカンに熱し、それを溜めた水まで運ばなくてはならない。当然熱した石を手でつかむことは不可能なので、トングという道具が役立つ。

2本の枝で挟んで石を持つこともできるが、それだと石の形状によって持ちにくいことがあり、落として器が破れたり、勢いよく落ちて水を無駄にしたりしてしまうことがある。せっかく溜めた水が無駄になってしまうし、作業に時間がかかってしまうのもよろしくない。熱した石がすぐ冷めてしまうということはないのだが、気持ちとしては一刻も早く水に入れたいので、素早く確実に石をつかめるトングがあると、とても便利なのである。焚き火の薪を組み直すのにも使えるし、作るのにそれほど手間もかからない。

1本の枝を半分に割って、端を紐で結ぶ。あまり柔らかすぎる枝を選ぶと石をつかんだときにしなってしまうので、適度に硬くまっすぐな枝を使うようにする

1

なるべくまっすぐな枝を探し、2本に割っていく。このときは時間短縮のために石器ではなくナイフを使い、バトニング（ナイフの背を木などで叩いて薪を割る方法）で割った。石器の場合は、棒を折る際にできた割け目などをきっかけにする

2

枝が多少曲がっていても、刃を入れる向きを変えれば断面をまっすぐにできる。枝の曲がりをよく見て、刃の向きを決めるようにする

3

いろいろな作り方があるが、このときは枝を最後まで割らず残しておき、割いたところに小枝を挟んで固定した

4

手元部分をつるで結んで固定すれば完成。結び方はできるのであれば巻き結びが好ましい。結びコブができない巻き結びなら、負担が一点に集中することがなく切れにくい

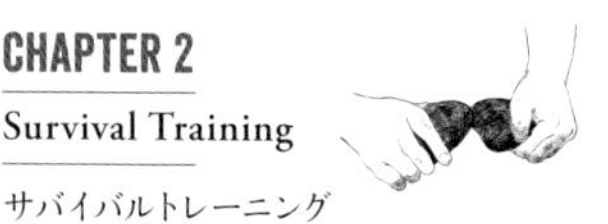

コールバーニング

木を焦がして削って窪みを作り器にするコールバーニングという方法を紹介する。この方法を用いると、頼りがいのあるしっかりした器が作れるので覚えておくといい。

まず素材は丸太。ある程度柔らかい針葉樹がおすすめだが、時間はかかるが硬い広葉樹でも作ることはできる。丸太は半割りにして、平らな面を加工したほうがいいだろう。そのままでもいいのだが、平面のほうが容積を確保しやすいからである。また、半割りするにしてもしないにしても、皮は燃えにくいのでむいてしまう。

次に木の表面に炭を載せて押さえつけ、息を吹きかけて焦がしていく。息を吹きかけるのにストロー状の火吹き棒があるといいのだが、これはイネ科の植物やアシ、セイタカアワダチソウなどの植物の茎の中心部をうまく抜いて使うといい。これでピンポイントに空気を送り込むと、その部分の温度をより高くすることができる。

ある程度焦がしたら、尖った石などを使って焦げた部分を彫り進めていく。大変効率が悪い作業に思えるかもしれないが、真っ黒に焦げた部分だけでなく、その下の茶色い部分も削ることができるので、思った以上に作業ははかどるはずだ。

炎が上がるほど燃えてしまうと亀裂が入ることがあるので注意しよう。一部分だけが焦げてしまうようなら、焦がしたくない部分に石や粘土質の土などを置いて作業するときれいに彫れる。フーフーと強く息を吹き続けると疲れるので、普段の呼吸と同じイメージで、リラックスして行うといい。同じ方法でスプーンなども作れるので、いろいろ挑戦してみるとおもしろい。

丸太を半割りにし、コールバーニングで作った器。木の葉で作るものと比べ、強度が高いのが特長で、直接火にかけることはできないが、焼き石を入れて煮沸消毒ができる

焼けた炭を木に押し当てて焦がす。息を吹き続けるのは意外と大変なので、ストロー状のものがあるといい。茎が中空になっているアシやセイタカアワダチソウを使うのがおすすめ

焦げたところを今度は尖った石などで削り深くしていく。一部分だけ彫りすぎたという場合には、そこに粘土状の土を塗って熱が伝わりにくくするといい

水を煮沸消毒する

3日以内に飲み水を確保

煮沸消毒するために、ロックボイリングという石で湯を沸かす方法をお伝えしたい。この方法で重要なのは石をできるだけ高温にするということだ。

効率的に石を温めるには、全方向から熱を加える必要があるので、まず下に燃料となる木を敷き詰めてその上に石を置き、前後左右を薪で囲むようにして焚き火をする。焚き火は、燻(くすぶ)らせるようなやり方ではなく、勢いよく炎を上げて一気に熱を高めるようにする。私がおすすめするのはティピー型だ。また、石をどこに置いたかがわからなくなると、薪を崩して探しているうちに石が冷めてしまう。石が行方不明にならないよう、焚き火の中心にまとめておく（P196参照）。あとは石が熱くなったら、水を入れた器に入れれば沸騰する。

竹があればそのまま火にかけることができる。コップのように縦方向で節の部分を熱する方法もあるが、私は横にして使うのが好きだ。いずれにせよ熱が逃げないようササの葉などでフタをするのが大事で、竹の径が太く半割りしたときは、割った片方を被せてふたにする。

消毒のために必要な沸騰時間は3分とも5分ともいわれるが、セオリー上は沸騰した時点で殺菌されている。数分間熱するのは容器の殺菌に時間がかかるからであって、熱して作るコールバーニングやそれ自体に殺菌成分を持つ竹の器であれば、煮沸時間は短くてよいと認識している。今のところ私はこれであたったことはないが、これについては皆さんの判断にお任せしたい。

石をしっかりと熱すれば、数個石を入れるだけであっという間に湯が沸く。石を熱するためには、強く燃やした焚き火で上下左右から熱を加えることが大切だ

半割りにした竹を横に使っている例。私は何らかのお茶にして飲む事が多い。この日は笹の葉茶。奥の火にかけているように見える竹が蓋である

CHAPTER 3

Primitive Hunting
and Wild Plant

原始の狩りと野草

ネイティブアメリカンの狩り

いかに野生動物に近寄るか

ネイティブアメリカンの人々の暮らしでは、冬になるとよく狩りをするようになる。なぜかというと、植物から十分な栄養を摂るのが難しくなるからだ。また、冬は狩りに適した時期でもある。植物が減り、見通しがよくなるので、野生動物の動きが見やすく、痕跡も探しやすくなる。あるいは、冬の寒さが動物の感覚を鈍らせるという話もある。

しかし、狩りを成功させるためには、莫大な知恵と技術と体力が必要になる。古代の狩りの技術は、こちらから動物を捕まえにいく能動的なものと、罠を仕掛けて待つ受動的なものと大きく2つに分けられるが、能動的な狩りの場合はできるだけ動物に近づかなければならない。だが、相手は豊かな嗅覚や視覚を持つ動物たちであり、ほんのわずかな違和感を覚えただけでも逃げ去ってしまう。だから、狩りを成功させるためには、自然と一体化する必要があったのだ。

そのために、彼らはできるだけ自分の匂いを消す、動物に匂いが届かぬよう風向きに気をつける、自然の背景で目立たぬようにカモフラージュするといったさまざまな技術を身に付けた。自然と一体化するということは、自然が持つ力を身につけていくことであり、それは彼らにとって大きな快感だったそうだ。フルサバイバルの状況で狩りをするというのはかなり難易度が高いし、日本においては法律で制限もされているが、狩りの技術を通してどう自然に溶け込んでいくかという方法を深く体験できる。ぜひ、その広く深い世界観を共に味わってみよう。

簡単に言ってしまえばただの木の棒だが、立派な狩りの道具である。それほど自重がないので、回転させて投げてその遠心力で当たったときの威力を高める

原始の狩猟具「スローイングスティック」

最も原始的な狩りの道具と言われているのがこのスローイングスティックで、簡単に言えば投げる木の棒のことである。

スローイングスティックには本当にいろいろな形があるのだが、ここではほぼ加工をしないシンプルなタイプの説明をしよう。

まず、長さは肘から指先くらいまで。太さはOKサインの輪よりも少し太いぐらいで、なるべくまっすぐな枝を拾う。ただそれだけだが、加工するのであれば投げたときに手を怪我しないように握りの部分のトゲなどを石器で取って滑らかにするといいだろう。

この道具を使う狩りの対象となるのは、ネズミやウサギ、リスなどの小動物。私自身はこれで本格的な狩りをしたことがないし、こんなものが当たるわけがないと思っていたが、一度練習中にド

ブネズミを気絶させてしまったことはあるので、きっと実用的なものなのだと思う。

スローイングスティックを投げるときのポイントは、なるべく体のラインから棒を出さないこと。普通に上から投げてもいいし、横から投げてもいいが、体から棒のシルエットが出過ぎていたり、フォームが大きかったりすると、すぐに動物に気づかれてしまう。コンパクトなフォームを心掛け、スローイングスティックが体のすぐ近くをすり抜けるイメージで投げるようにする。そして、近づくときにも自分のシルエットが崩れないよう気をつけなければならない。最初は、至近距離に何かものを置いて練習するといいだろう。

同様の道具は世界中で使われていて、飛距離を出すために曲がりを付けたもの、衝撃を大きくするため先端部を大きくしたものなど、さまざまな形がある。自分でデザインして作ってみるのもおもしろい

スローイングスティックは、ネイティブアメリカンだけでなくアボリジニーなど原始的な生活を営んでいた人々の間で使用されていた。ブーメランのように空力を考えられた形状のものは、かなり遠くまで飛距離を出せる

近寄るときと投げるときに大切なのが、動物から見て棒のシルエットが体から出ないことだ。写真も、自分でイメージしていたほどうまくできていない。鏡などを見ながら練習するとよい

獲物に近寄る方法

動物の感覚に察知されない偽装

古代の人々は、狩りの対象となる四足歩行の動物はあまり色を識別しないことを知っていた。しかし、だからと言って偽装をしなくてもいいとは考えなかった。なぜかというと、鳥が色を識別するからだ。鳥が驚けば、その様子を見て獲物も逃げてしまう。だから鳥を驚かせないために自分の体を偽装し自然に溶け込ませたのである。

私は、偽装するときにはできるだけ身にまとう布を少なくし、触覚を大切にすることと教わった。思い出すのは、裸足に海水パンツという格好で目隠しをし、太鼓の音を追って森の中を長距離歩くというユニークなトレーニングだ。最初はバランスを崩したり、足の裏がチクチクしたり、枝や葉に体が当たったりで不快なのだが、いつの間にかそれらを避け、自然の中を泳ぐような滑らかな動きができるようになった。そのときに布が少ないほうがいいとはこういうことかと痛感したものだ。

具体的な偽装のポイントは、まず肌の艶をなくすこと。人の肌はつるつるで、自然界では非常に目立つので、灰や炭、泥を塗ってそれをなくす。そして、アウトラインをぼかすこと。頭があって2本の足があって左右に2本の手がぶら下がっているという人間特有のシルエットが見えないようにする。ちなみに、全身を偽装すると地面が汚いとかいう感覚が全くなくなり、地球全体が自分のベッドのような感覚になる。それまで自然に対して少し抱いていた恐怖感がなくなり、自分の中に眠っていた野獣のような感覚が解放されるのである。この感覚はぜひ皆さんにも味わってほしい。

全身にこの偽装をすると落とすのが大変だし、もし人に見られたら、警察に通報されかねない。最初は片手だけ偽装してみて、どんな場所なら馴染むのかを確認してみるといいだろう

1

下地として塗るものを灰と炭で作る。焚き火でできた灰と炭を石で細かく潰す。これは見た目の偽装だけでなく、匂い消しの効果も非常に高い。灰だけ使用する場合もある

2

パウダー状にしたものを肌に擦り付けるようにして塗り込む。少しでも塗り残しがないように気をつける。爪はとても目立つので、爪も忘れずに塗っておく

3

左手の下地を塗り終えたところ。塗ってないほうの手と比べると、人間特有の肌のテカりがだいぶなくなったのがわかる。コントラストも弱まり、アウトラインもボケて背景の土に馴染んでいる

4

土に水を混ぜて泥のようにし、下地の上に塗ってパターンをつける。草をすりつぶして入れ、色味を変えることもある。灰を水で溶いて塗るのは、肌を傷めるのでしてはいけない

5

作った泥でパターンをつける。塗った直後はそこの色が濃くなるが、乾くと逆転する。エッジをぼかすために、鼻筋や頬骨など、日にあたったとき光る部分には塗らないでおく

6

パターンをつけ終えたところ。のっぺりしていた肌に凸凹ができて、さらに背景に馴染むようになった。何もしていない右手と比べると、その差は一目瞭然だ

7

塗った泥が乾く前に、乾いた砂や砕いた枯れ葉などをかけるのも効果的。それでより立体的になる。今回は左手だけだが、同じことを体の見えている部分全体に行う

8

偽装を終えた左手。木肌に溶け込んでシルエットがぼんやりしている。爪が目立つので、実際に行動するときには、手を握り込んで隠すようにする

ストーキングステップ

ストーキングというと、現代では響きの悪い言葉だが、狩りに置いては忍び寄るという意味で使う言葉である。

獲物に近づくためには、まずルート選びが大切だ。いくら歩くテクニックを高めても、乾いた落ち葉の上を歩くとやはり音が出やすいし、風上から近づくと、踏んだ草の匂いが獲物に届いてしまう。また、背の高い草が生えていたら、それを揺らしてしまう可能性が高くなる。アウェアネスを働かせ、波紋を生じさせないルートを選ばなければならない。

ストーキングの動きはゆっくり。1歩に90秒時間をかければ、動物に動いていることを認識されにくい。ゆっくり動くとバランスをとるのが難しくなるが、筋力だけに頼ると疲れやすいし隠密性も劇的に下がってしまう。負担が少ない姿勢と動きを心掛け、リラックスした状態を保つ。

頭を下げ、足と手を閉じ、人間のシルエットを出さないようにする

✕ このように両足の間があくと、二足歩行の人間であることがすぐわかってしまう

人間のシルエットを出さず、ゆっくり静かに進む。進むルートは音や匂いのほかに、できるだけ影の中を移動できることを考えて選ぶ

立ちバージョン ■

四つん這いバージョン ■

手で支えてもOK

自分にとって一番楽な姿勢を探すこと。手を膝に置いて体を支えるのも方法の1つ

ストーキングにはさまざまな姿勢があるが、これは前屈みで歩く例。小さな筋肉1点だけに負担がかからない姿勢を取り、足を出すときには軸足に沿って2本足のシルエットが出ないようにする

正面からのシルエット

正面から見ると、人間特有のシルエットから外れた形になっており、獲物からはその形が保たれたままアプローチされていることになる(立ちバージョンの正面のシルエットはp.146右下参照)

四つん這いで進むときも、頭を下げて前から見てはみ出る部分がないシルエットになるように。膝を引きずると音が出るので注意。一歩を小さくするよう心掛ける。腹這いで進んでもいい

鳥のしぐさ

鳥のしぐさと5つの鳴き声

鳥は古来より森に何が起きているのかを最も知る存在とされ、その鳴き声やしぐさは周りの状況を判断する材料にされてきた。あくまで傾向ではあるが、鳥の鳴き声やしぐさを理解できるようになれば、今鳥がベースラインの状態にあるのか、それとも何か脅威にさらされているのか、そしてその脅威の位置や種類まで予測できるようになる。

鳥の鳴き声はおおまかに5種類に分けられる。そのうち3つがベースラインの状態だろうと判断できるもの、そしてもう1つがベースラインが崩れる可能性があるグレーゾーンにあると判断できるもの、そしてもう1つがベースラインが崩れていると判断できるものだ。

最初にベースラインであることがわかる鳴き声3つを紹介しよう。まず「仲間コール」というもの。これは群れやつがいの鳥同士が、お互い見えない状況で安否を確認し合うための鳴き声だ。特徴は激しさがなく、一定のリズムがあること。

2つ目は「歌」だ。わかりやすい例を挙げるとウグイスの「ホーホケキョ」というやつで、これは自分の縄張りを誇示している鳴き声である。また、ネイティブアメリカンの教えでは、「歌」は楽しい気分のときに発する鳴き声だとも言われている。

3つ目は「男と男の戦い」。これは文字通り、縄張り争いなど戦いのときに発する鳴き声だ。とても激しいのでベースラインが崩れているように聞こえるが、他の仲間たちは騒がないし、本当の

ウグイスがホーホケキョと歌うように鳴くのは自分の縄張りをアピールするため。彼等にとってみれば非常に重要な行動なので、周囲がベースラインか否かをしっかりと確かめてから歌うはずだ

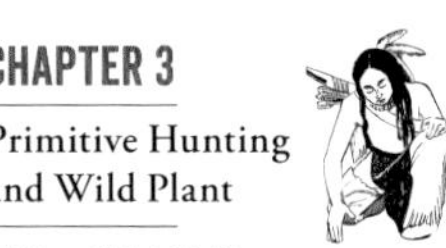

脅威であるプレデターが現れたらすぐに2羽とも戦いをやめて逃げてしまう。つまり、彼らが喧嘩を続けている間はその鳥の中ではベースラインが保たれているということだ。

4つ目はグレーゾーンの鳴き声。騒がしいけれども少し可愛らしい声が聞こえてきたと思ったら鳴き声が止む。そして忘れたころにまた騒がしくなり、また聞こえなくなる。これは実は子どもの「エサくれコール」で、エサを運んできた母鳥に対し自分にエサをくれとアピールする鳴き声である。餌をねだるだけならベースラインを保っている状態なのだが、ひな鳥の鳴き声は捕食者の注意を強く引くものでもある。つまり、その時点ではベースラインが存在しているが、とても壊れやすい状態にあるということである。

5つ目は「アラーム」で、ベースラインが崩れてしまっていることを示す鳴き声だ。この鳴き声の特徴は、激しいことと一定のリズムがないことだ。あるいは、例えば沈黙してしまうということもある。沈黙している場合は、本来仲間同士で鳴き交わしている時間なのに聞こえない、つまりベースラインが崩れていると推測する。この「アラーム」には段階があって、脅威はあるが逃げようと思えば逃げられる程度なら鳴くのもゆっくり、脅威が近づいたら早くなったりする。そうすると、ゆっくりしたアラームからだんだん早くなり、またゆっくりになったりしたときには、その鳥の目の前を脅威がゆっくり通り過ぎていったということがわかるのである。

鳴き声を理解するのに、どんな鳥を参考にすればいいかというと、我われと同じ地面付近をテリトリーにしているものがいいだろう。そういう鳥はたいてい色が地味で、茶色っぽい色をしていることが多い。例えば、ツグミなどは大きくて見やすいし、鳴き声も特徴的で聞き取りやすいだろう。ホオジロやカシラダカ、もっと身近な鳥ではスズメも参考になる。

鳥のボディランゲージ

さまざまな鳥の天敵が次のような行動を生じさせる（逃げる鳥の動きは紫の矢印で表示）。脅威の姿が見えなくても、鳥の驚き方、ボディランゲージが見えれば、それを生じさせた脅威の存在と種類、位置や動きなどを予測することができる。狩猟などの際、森を読む大きなヒントとなる。

❶ すき型（Bird Plow）

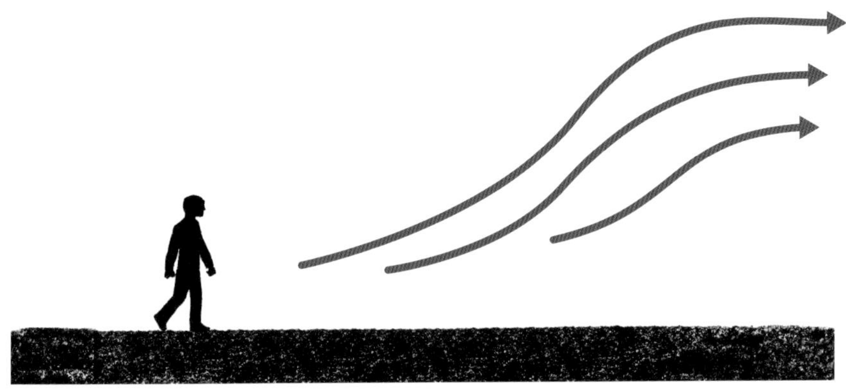

地面にいた鳥が上方向ではなく飛行機が離陸するようにその場から距離を取ろうとする動き。この軌道が見えたら、元の方向から速く動く脅威が近づいている可能性がある。人間や犬などが考えられる

❷ 弾丸（Bullet）

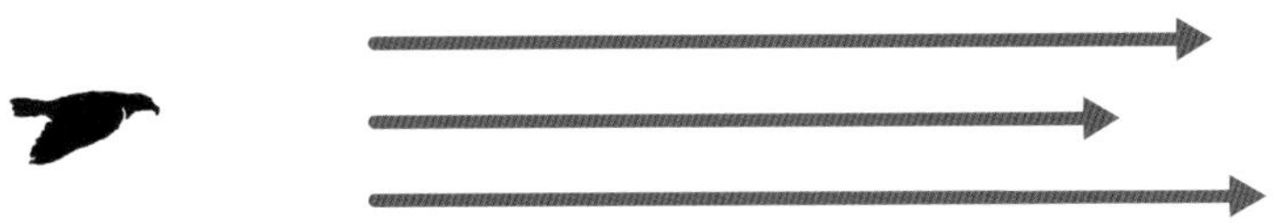

「すき型」が地面からの軌道に対し、「弾丸」はおもに上空における、より直線的な軌道。これが見えた際には、鳥が飛んできた方向に天敵である猛禽類が追いかけてきているかもしれない

❸ 不時着(Ditching)

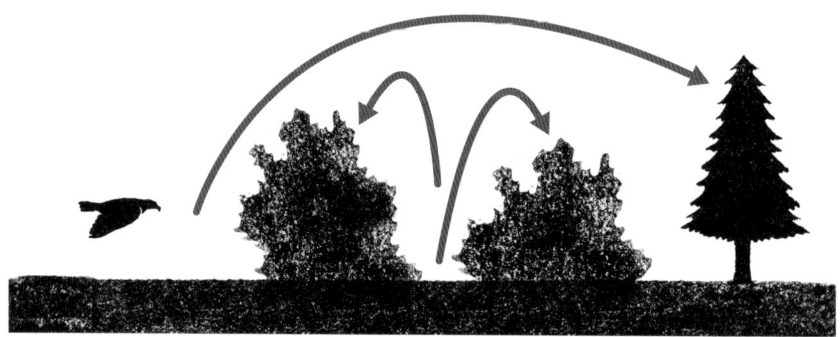

「すき型」や「弾丸」などで飛んだ先に隠れ場所があればそこに避難する行動。鳥たちがこの動きを見せたら、飛んできた方向から犬や猛禽類などの出現が予期できる

❹ 歩哨(Sentinel)

鳥が高い枝などに同じ方向を向いて止まっている状態。見ている先に猛禽類などがいて、それを見張っている可能性がある

❺ 静寂のトンネル（Tunnel of Silence）

猛禽類が通過したときにほかの鳥が鳴くのをやめるため、まるで猛禽類がトンネルを通過するようにその周囲だけが静かになる状態。上の方が急に静かになったり、鳥の声にかき消されていたような音が急に聞こえ始めたら、上空に猛禽類を探すとよい

❻ 静寂の柱（Oppression）

猛禽類が枝などにとまったとき、飛んでいるときは横方向だった「静寂のトンネル」が、縦方向になりその木の周囲だけが静かになる現象。歩いていて周りが静かになって、その後また鳥の声が聞こえ出したらこのエリアを通過した可能性がある

❼ セーフティーバリア（Safety Barrier）

人間など外敵の盾となる存在を利用する動き。ツバメが民家の低い部分に巣を作るのがいい例。鳥が自分をかすめて、その背後の何かに隠れるなどした場合には、飛んできた方向に天敵がいる可能性がある。やはり犬や猛禽類であることが多い

❽ 放射状アラーム（Parabolic Alarm）

脅威となる動物が忍び寄ってきているときなどに、脅威が届かない高さにとどまって強いアラームとなる鳴き声を浴びせかける動き。猫などが見せる忍びの動きにこの反応をすることが多い。茂みに身を隠しながら進む猫の位置が手に取るようにわかることもある。移動せず、固定型の場合はフクロウや巣を狙う蛇などが要因として考えられる

❾ イタチ（Weasel Shape）

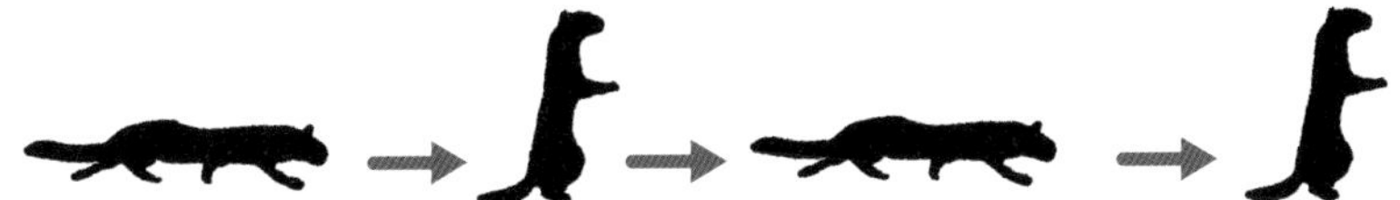

身を低くして動き時々立ち上がるイタチ特有の動きに対し、鳥たちはイタチが顔を上げたときだけ激しく鳴くため、定期的に鳴き声が聞こえる

❿ フック（Hook）

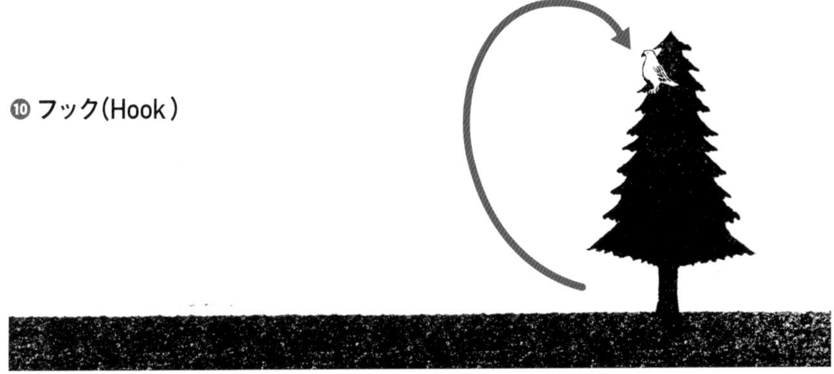

脅威が近づいたときに少しだけ飛び上がって木の上にとまるなど、それほど大きな脅威ではないが、距離だけとっておこうとする動き。自分に対してこの動きを鳥が見せたら、ベースラインを大きく乱していないという指標にもなる

⓫ ポップコーン（Popcorn）

フックの連続動作で、おもに移動しているキツネがこの形を生じさせると言われる。茂みの死角にいるキツネの存在を察知できる

トラッキングとは？

痕跡からあらゆる情報を引き出す

狩りを成功させるために、わずかに残された痕跡に気持ちを傾け、ベースラインに生じた波紋を感じ取り分析し細分化する技術。それがトラッキングである。この痕跡を残した主は今どこにいて何をしているのか、それを知るために必要不可欠な技術だが、その内容はかなり多様で、例えば鳥の鳴き声を理解するのもトラッキングの技術の1つと言っていい。

私がトラッキングの凄さを知ったのは、師匠であるトム・ブラウン・ジュニアのトラッキングの講義を最初に受けたときだった。そのとき、トム・ブラウン・ジュニアは、講義が始まるや否や、自分はトラッカーだから200mほど離れた待機小屋からここに来るまでに、たくさんのものを読み取ることができたと力強く言い放った。そして昨夜キツネが通ったが、途中で体を低くしてゆっくりになり、左耳を動かした。それは、ある方向にウサギを発見したからで、そこから忍び寄ろうとしたが、そこでキツネもウサギも急に方向を変えて飛び跳ねるように去っていった。それがなぜかというと、昨夜2時35分から40分の間に、並んでいる簡易トイレの左から2番目に誰かが入ったからだ。その人は身長何cmで痩せても太ってもいない体型で、というような詳細な説明をし、それは全て足跡に記録されていると言ったのだ。

正直、半信半疑ではあったが、足跡からそこまで細かいことがわかるのだと感動したし、トラッキングにはしっかりとした論拠があって、修行を積めばそういう世界が見えるのかもしれないと思うことができた。トム・ブラウン・ジュニアの言葉には、それだけ説得力があったのである。

一般的には、トラッキングは同調術であると私は思っている。それで間違いないのだが、突き詰めればトラッキング＝追跡術と言われている。1時間前に獲物が通った痕跡を見つけて、自分の気配を消し獲物の行動を読む。そして少しずつ近づいていって、最後は狩り、食べて自分の力とする。まさに獲物と同化するわけだ。そのときには、自然の力を自分に取り入れて生きていくという喜びと感謝、そして同時に、自分と一体化した獲物の死も自分の中に宿るのであろう。

ネイティブアメリカンの人々は、トラッキングの技術に長けていた。ほんのわずかな痕跡から獲物を追い、仕留めることができたのだ

実際に狩りをしなくても、動物になりきってその行動を予測すると、彼らも生活の中でさまざまなストーリーを経験しているとわかる

痕跡を分析する考え方

5W1Hという考え

トラッキングは、果てしなく奥が深く、幅広い。一生をかけても学び終えることはないであろうが、それを整理し学びやすくしてくれるのが5W1Hのストーリーを組み立てるという作業だ。

5W1Hというのは、すなわちWho（だれがこの痕跡を残したのか）、When（それはいつのことだったのか）、What（何をしていたのか）、Why（なぜここにいたのか）、Where（痕跡を残した主は今どこにいるのか）、How（痕跡を残した主は何をどのように感じて過ごしていたのか）ということを意味している。

このストーリーをどうやって完成させるのか、そしてそれにどんな意味があるのか、次ページから詳しく触れていこう。

森に残された痕跡から、この動物が今どこにいるのかを想像し分析するのがトラッキングという技術だ

動物が残した波紋を感じるためには、普段からその動物に関する知識を多く身に付けておき、波紋を感じる「フィルター」として感覚に取り込んでおかなければならない

Who：痕跡を残した主はどんな奴なのか？

この痕跡を残した主はだれなのか、である。私は狩猟をしないので、実際のハンターの方からすると、実践的な内容でないと思われるかもしれないが、こういう考えもあるのかという1つのエッセンスとして読んでいただければおもしろいと思う。

痕跡を残した主を推測するには、プロファイリング、つまりその動物のことをどれだけ知っておくかが重要だ。どの動物をトラッキングしても楽しいが、まず手始めにおすすめなのが、イノシシだ。イノシシはとてもわかりやすい痕跡を残してくれるし、それでいて非常に深い知恵を持っている動物だからである。

手順は、まずイノシシの情報をインターネットでも本でもいいので、できる限り収集する。ただ、この作業はきりがないので時間は15～30分程度で区切るように。その時間内で体の大きさや脚の長さ、重量感などの身体的な特徴、生息場所、食べ物、歩き方など、さまざまな情報を得て、イノシシの全体像を作り上げる。大切なのはいかにエンビジョンを行うかで、頭の中でイノシシの姿を想像するのではなく、自分がイノシシになりきり、歩いているところや食べているところをイメージする。そうやって、自分の中にイノシシの魂を宿らせるのである。

そして次に、得た知識を1枚の紙に書き出して自分だけのイノシシ図鑑を作る。描き方に決まりはないが、イラストもぜひ入れて欲しい。これは情報をアウトプットすることで、自分にどれだけイノシシの魂が入っているかを確かめる作業である。この図鑑を使って、イノシシについての話をいかに躍動感をもって楽しく聞かせるか、そんなことをイメージしながら描くといいだろう。

イノシシ図鑑

鼻の特徴

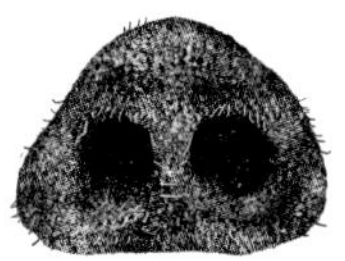

鼻で地面を掘り、
食べ物を探す
嗅覚が鋭い！　など

足跡の形

※つま先に一番体重が
乗るので、副蹄のない
足跡も多い

大きさの印象
（例：大型の個体でおおよそのサイズ感は原付バイクぐらいなど）

ベースラインの歩調

【外見的特徴】
・体長：1mぐらい
・体重：70～100kg
・個性：足が短く顔が大きい
・毛の色：茶～黒
（幼獣には体毛に縞模様アリ）など

【生息場所】
・低山帯、里、水場が多いところ など

【食性】
・植物の根、果実、タケノコ、キノコ、
昆虫類、ミミズ など

【特徴的な痕跡】
・地面の下の食べ物を探してを掘った痕
・泥浴びをした痕（ヌタ場）など

【天敵】
日本の場合、成獣に対しては人間以外存在しない。
幼獣は野犬、キツネ、猛禽類など

【1日のルーティン】
・昼行性だが夜に畑を荒らしにくる
・行動圏は2～3㎢とされる　など

【年間のルーティン】
・繁殖期は12月から2月まで
・冬眠はしない

【生存戦略】
地面が大好き！
できる限り地面に集中できるような体を持つ。
人間は怖いけど、
畑の近くにを住処にすれば、
危険はあるけどおいしい野菜が食べられる。
人間が少ない夜がチャンス！

When：その痕跡の主はいつそこにいたのか？

トラッキングのテクニックの中でも、痕跡の主がいつそこを通ったのかを見極めるのは難しいテクニックだと言われている。少し練習すれば半日単位、つまりこれは3日前の午前だとか、昨日の午後だとかいうくらいであれば、それなりにわかるようになる。しかし、それより細かい単位になると、ぐっと難易度が上がるのだ。

例えば、砂地の地面にエッジが立ってくっきりと残っている足跡と、角が丸まって形がぼけている足跡があるとしたら、あなたはどちらが新しい足跡だと思うだろうか。当然くっきりと残っている足跡のほうが新しいと思うだろう。だが、ここで想像を膨らませて欲しい。砂地は雨が降って地面が固まったときには確かにはっきりとした足跡がつく。そして乾くにつれてエッジが削れていくが、それでも一度圧縮されてついた足跡はある程度残る。しかし、砂地が完全に乾いていたらどうだろう。乾いた砂に動物の足が入っても、足を抜いた瞬間には砂が崩れ足跡がなくなってしまう。いま通ったばかりなのに、痕跡がなくなってしまうわけだ。これが何を意味するのかというと、天候が大きく影響するということである。

私の師匠であるトム・ブラウン・ジュニアは数分単位の誤差で痕跡を読める。行方不明者を探すサーチ・アンド・レスキューの依頼を何度も受けたが、彼が追跡の依頼を受けた際には、少なくとも1週間前までの現地の天候データを手に入れる。古代にはデータなどなかったが、自然と共に生き、自分の感覚と天候が一体化していたハンターは、過去の天候をいちいち思い出すこともなく足跡を見た瞬間にいつの足跡なのかを感じ取れたのではないだろうか。

マーキングの知恵 痕跡がいつ残されたものなのかを見極める術を上達させるトレーニングを紹介しよう。都会のマンションのベランダでもできるので、ぜひやってみて欲しい

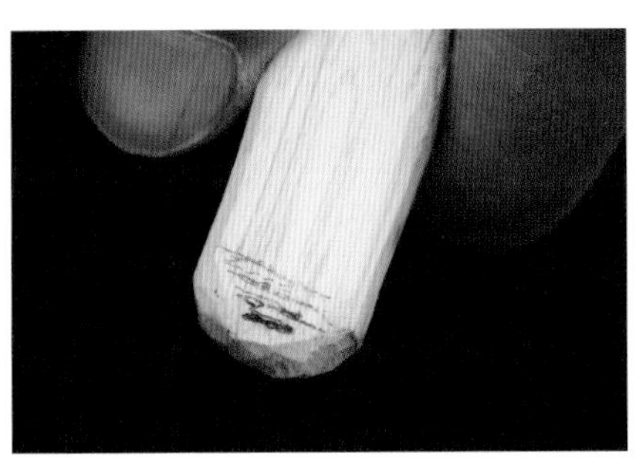

1

砂に擬似的な足跡をつけるスティックを作る。木の棒の先の角を丸め、4段階の深さにペンで印をつける。写真のものは目盛が細かいが、今回は5mmほどの感覚でやってみた

2

容器に砂を入れてコテなどで平らにならす。コテを押し付けて強く圧縮するほどしっかりした跡がつくし、緩くすると崩れやすい跡になる。その中間あたりにできるといい

3

スティックを使い、砂に跡をつける。上から目盛りの深さ1で横、目盛り2で縦、目盛り3で右斜め、目盛り4で左斜めと十字型の計5つの痕をつける

4

1列を終えたが、理想は1日で3回これを繰り返し、古い痕跡がどのように変化をするか調査する。また、雨の日、地面が凍った日、暑くて乾燥した日など、さまざまな条件で痕跡のつき方と変化を調べてみよう

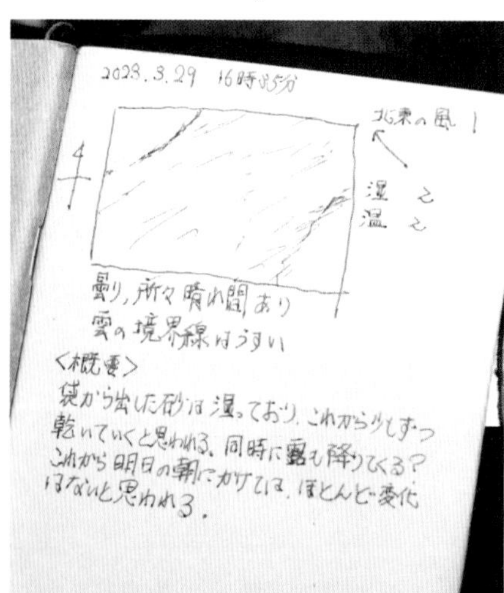

5

天気、空の模様、気温、湿度などを自分の感じたようにメモしておく。これからどのように変化するのか、あるいはしないのか。予想をしながら観察する

枝を折ってその部分の変化を観察する。あるいは木の葉をちぎってその変化を観察するなど、痕跡の経過を学ぶエクササイズは工夫次第で無限に広がっていく。折った枝は見失いやすいので、紐を結ぶなど印をつけておくといい

痕跡を見る視点

痕跡は逆光で見るとくっきり見えるが、逆に順光で見るとほぼ見えなくなってしまう。痕跡を探す際は、太陽と自分の間を観察するようにしよう

Where：痕跡の主は今どこにいるのか？

目的が狩りをすることであることを考えると、Where、つまり痕跡を残した動物がどこにいるのかを知ることは、最も重要なことだと言えるかもしれない。

居場所を推測するには、やはり獲物となる動物のプロファイリングが重要だ。また、周囲の地形を理解しておくことも大切だし、鳥の鳴き声で獲物の場所を知ることができるかもしれない。全ての事象は繋がっているので、ひとつの痕跡だけに捉われず、常に全体を見なくてはいけない。

実際のフィールドだと明確な痕跡は少ないものだが、何かしらの「破壊」が目印となる。動物による破壊の代表的なものが、上からの荷重で柔らかい地面などに跡がつく圧縮痕。そして、動物が枝を折ったり草を踏み倒したりしてできる破壊痕。そして、葉などを食べたあとの食痕。また、濡れた地面を動物が歩いたときに砂を葉の上にかけてしまうようなキャリーオーバーというのもある。「破壊」の種類によっては、ただ動物がそこを通ったことがわかるだけでなく、何の動物だったのか、どっちへ進んでいたのか、大きさはどれくらいかなどの情報へもアクセスできる。

あとはピックトラッキングといって、本来ならそこにあるはずの足跡が見つからないときに、足跡の上に乗ってしまった落ち葉をよけて足跡を露出させるというテクニックもある。ちなみに、落ち葉があるエリアだと足跡を見つけるのは非常に困難だが、例えば裂け目がある落ち葉があったら要注目だ。落ち葉は普通湾曲しているものが多いので、踏まれてそうなった可能性がある。また、落ち葉は時間が経つと自然と座りのいい状態に納まるので、もし座りの悪い落ち葉があれば、それはまだできて間もない痕跡かもしれない。

圧縮痕

足跡や、地面にめり込んだ木や石など、荷重によってできる痕跡。肉球がある動物より、蹄がある動物のほうがめり込みやすい

キャリーオーバー

葉や落ち葉の上に土や砂が乗っている痕跡。動物の足裏に付着した土などが、歩いていて葉などの上に落ちる

破壊痕

破れた落ち葉、折れた枝など、何かしらの衝撃が与えられた跡。枝が折れているのは、肉球ではなく蹄を持つ動物である場合が多い

食痕

食いちぎられた葉や樹皮など、動物が食事をした跡。地面ばかりに目を向けていると見逃してしまうことがあるので注意

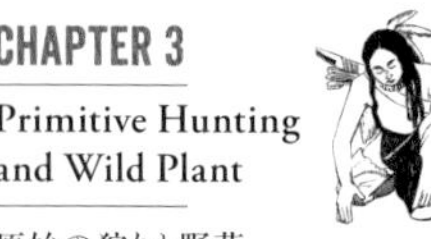

自分の痕跡を探すトレーニング

自分で地面に足跡を付けて、自分でその痕跡を観察するというトレーニングを紹介しよう。

やり方は、歩幅を一定にするために両足を結んで5歩歩き、最初と最後の1歩で踵部分に串を刺しておく。そうすると間に4つ足跡があるはずなので、それを探し観察を行う。両足を結んだ紐と同じ長さに折ったトラッキングスティックという枝を使うと、足跡が見つからないときに、ここにあるはずだと目安をつけることができる。

自分の膝や肘が汚れていないようではトレーニングをしたことにはならないと言われるが、低い姿勢で足跡の1つ1つを深く観察する。踏んだ足のどの位置にどのような破壊が生じるのかをしっかりピックアップし、いずれは遠目に見て素早く足跡を拾えるようになりたい。ときおりワイドアングルビジョンで見るなど、いろいろな場所からいろいろな見方をすることも大切だ。

どういう動きをすればどういう跡になるのか、足裏のどこにどんな跡ができるのかなど、細かく観察すること。パートナーと一緒に行ってもおもしろい

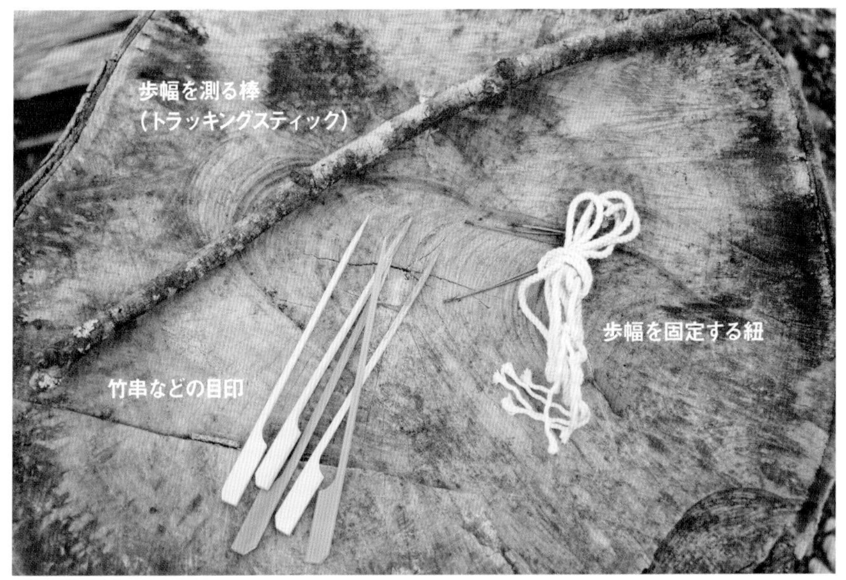

用意するのは、歩幅を一定にするために両足を結ぶ紐、足跡に目印をつける竹串など、足跡がある位置の目安となるトラッキングスティック。トラッキングスティックは、枝を紐と同じ長さに切って作る

脚に結ぶとき、輪が締まり過ぎる結びだと歩みに合わせて結び目が動いてくれなくなるので、輪が締まらないもやい結びにするといい。最初の1歩目と最後の5歩目で踵部に串を刺して目印にする

足跡を発見したらそこに竹串を刺してマーキングし観察を行う。足跡が見つからないようなら、トラッキングスティックで歩幅を測り、ある場所の目安をつける。見つけて終わりではなく、1つ1つを細かいレベルでよく観察する

Why：痕跡の主はなぜそこにいたのか？

どうしてその動物がそこにいたのか、それを推察するにも、やはりその動物のプロファイリングが必要だ。その動物の習性を深く知るほど、そこを通った理由を理解しやすくなる。

それからこれもほかと同じになるが、見つけた痕跡の周囲をよく観察することも必要だ。例えば痕跡を中心に半径100～200mくらいのエリアをじっくりとパトロールし、周辺の地形がどうなっているか、どこにどんな木や草が生えていて、どこから風が吹いてきて、どこに日陰があるか、水場はあるかなど、その場所を織りなす要素をこと細かに調べるようにする。そうやってマッピングすることで、追っている動物のストーリーが見えやすくなるのだ。

例えば、ここより少し右側を歩くと体が露出して向こうの民家から見えてしまう。だから通りにくいがこのルートにしたのかとか、匂いの情報がより多く取れるように風の向きを見てこう進んだのかもしれないとかいうように、痕跡の主がなぜそこを通ったのかというストーリーが見えてくる。もちろん、それが本当にその通りなのかどうかはわからないし、わかりようもない。そもそも自然の中で起きることに法則性をあてはめようなどという考えは浅はかなことなのかもしれない。しかし、そうやって想像を膨らませるのはとても楽しいことだ。

作ったストーリーが正解でなくてもかまわない。森の中を歩いて痕跡を見つけ、その痕跡を残した動物の残留意思のようなものを感じ取り、彼らになりきって追跡し、彼らの存在を自分の中に取り込んでその場所を共有する。狩りをしない私がなぜトラッキングが大好きなのかというと、こういったとても興味深い世界観を味わえるからなのである。

この痕跡の主は、なぜこの道を歩いたのか、なぜ道の右側を歩いたのか、どうして途中で歩幅が変わっているのか、周囲の状況も観察し、そういうことを推察するのがトラッキングの楽しさだ

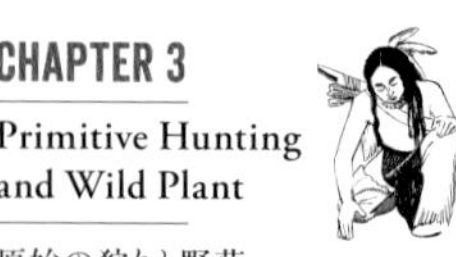

What：痕跡の主は何をしていたのか？

痕跡の主が何をしていたのかを知るには、その動物の1日の生活パターンを把握することが役立つ。動物の生活パターンは複雑なものではないので、習性がわかっていると仮説が立てやすいのだ。それともう1つ、歩調もポイントだ。多くの動物は、気持ちが歩き方に顕著に現れるものである。人は通勤の時間と帰りの時間、あるいはお昼にランチに行く時間で歩く速さが全く違う。同様に、4足歩行をする動物も何をしているか、何を感じているかが歩調に現れやすいのである。

ここで、歩調を平常時のベースライン歩調、ゆっくり歩くベースライン・マイナス歩調、速く歩くベースライン・プラス歩調という3つに分けてみよう。イノシシを例に挙げると、右後ろ足が前に出ることで右前足と近くなり、着地寸前に右前足が前に出る。そして今度は左後ろ足が前に出てきて左前足と近くなり、着地寸前に左前足が前に出るといういつもの歩き方がベースライン歩調。これだと、前足の少しずれたところに後ろ足が着く足跡ができる。

そして、動かし方自体は変わらないが、歩幅が狭くなり前足と後ろ足の距離が少し広がるのがベースライン・マイナス歩調。また、体を宙に浮かせながら右前足と左後ろ足が同時に着地、そして今度は左前足と右前足を同時に着地するのがベースライン・プラス歩調だ。

大事なのが、自分がイノシシだったらどんなときにどんな歩調になるのかを想像し、リストアップしておくこと。例えばベースライン・マイナスなら、気になる匂いが地面にあるとき、疲れたとき、ちょっと警戒したときではないかと仮説を立てておく。そのうえで現場に行ったときに、どの仮説があてはまるのかを周囲の状況に照らし合わせて判断する。

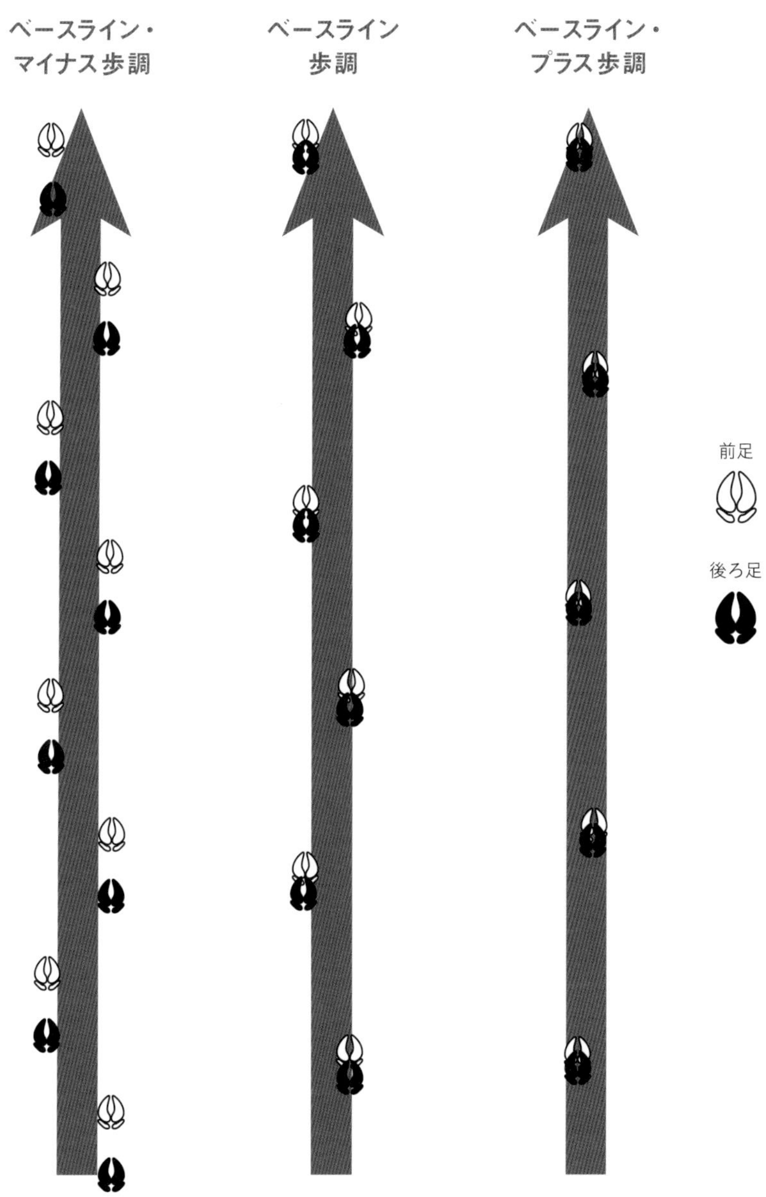

平常時、ゆっくり歩くとき、速く歩くときで足跡のつき方が変化する。何をしていればその歩調になるのか、仮説を多く立てておく。そうすると現場で足跡を発見したときに、痕跡の主が何をしていたかが推測しやすくなる

How：痕跡の主はそこでどのように感じていたのか？

これは、今まで集めた5Wの情報をひとつにまとめて自分の身にまとうというプロセスである。オスの丸々と太ったイノシシが、昨日の夜、寒い雨が降る中をエサ場に向かって歩いていた。おそらく今は、食事を終えて寝床に戻り眠っているころだろう。そんな5Wがしっかりと含まれたストーリーを改めて描いてみる。きれいに5Wには収まらないだろうが、それでも構わない。

そのときに大切なのが、何度も言うようだがイノシシになりきることである。最初にイノシシの細部を思い浮かべてみよう。顔が長くて硬い毛に覆われていて、脚が短く顔はいつも地面のすぐ近くにある。平らで頑丈な鼻には大きな穴が2つ空いていて、硬い土を掘り返せるほど硬い。そんな容姿のイノシシになりきってエンビジョンを行う。そしてストーリーの中に入り込むと、その動物がどんなことを感じていたのかということを推し量ることができる。

昨晩の暗くて寒い中、餌を求めて歩いたオスのイノシシになる。土の感触、歩いていて顔に当たる木の葉の感触、湿った風。それらを全て感じ餌場に向かって歩いていると、今日はお腹いっぱい食べるぞ、という感情が生まれてくる。本当にイノシシがそう思っていたかどうかは全く気にしなくていい。イノシシと本気で同調したつもりになれば、それでいいのである。

現代生活を送っていると、動物たちが自然の中で生きていることはわかっていても、自分とは無関係で存在感を感じることがない。しかし、トラッキングという行為を通じて動物と同調し1つになることができる。そして宇宙の大いなる意思であるグレートスピリットの存在を感じ、そして自分もその一部になれたと感じる。その充足感と幸福感は、何物にも代え難いものである。

頭の中で絵を描くビジュアライズと違い、痕跡の主になりきるのがエンビジョン。古来の優れたトラッカーは、この技術を使って痕跡の主に同調し、その痕跡を辿った

視覚以外の感覚を鍛える

スピリット・トラッキング

マツの枯葉が一面に広がっているような場所は、足跡を探すのが非常に難しい。しかし、師匠のトム・ブラウン・ジュニアはそんな場所でも迷うことなく獲物の方向へと進むことができる。それが不思議だった一番弟子のジョン・ヤングは、どうしてそんな簡単に足跡を見つけることができるのかと彼に聞いてみた。すると彼は少し驚いた顔をして、「まさか君は私が足跡だけを追っていると思ってないだろうな。私がしているのは、スピリット・トラッキングだ」と言った。

また、そこまでのレベルではないが、私も痕跡を見失ったときになぜだかはわからないが、こっちに進んだ気がすると感じ、その通りに進むと実際に痕跡を発見できた、ということがある。それはきっと、潜在的な感覚の力のおかげなのだと私は思う。例えば何かの音が聞こえているとして、そこから離れていくと少しずつ音が小さくなり、やがて聞こえなくなる。だが、耳ではもう聞こえないと思っていても、おそらくどこかの感覚でまだ聞こえているのだ。

そこで、その感覚を鍛えるためのトレーニング法を紹介しよう。やり方は、2人1組でトラッカー役の1人がタオルなどで目隠しをして、もう1人は少し離れたところで木を枝で叩くなどして音を出す。トラッカーはその音を目指して歩き、うまく辿り着けたら成功というものである。はじめのうちはバランスを崩したりつまづいたりするが、少しずつ感覚が敏感になり正しい方向に歩けるようになってくるので、成功したら次は音を小さくしたり、移動しながら音を出したりする。

出す音はトラッカーにあらかじめ教えておく。違う方向にトラッカーが行き過ぎたら、大きめの音を出し引き戻してやろう。なぜか裸足で行うとうまくいきやすいので、ぜひそうして欲しい

原始の罠

フィギュア4

狩りの方法には、これまで紹介してきたような獲物を追いかけて仕留める能動的な方法のほか、罠を仕掛けるなどして待って仕留める方法がある。

罠猟の素晴らしいところは、何といってもエネルギーの保持ができるところ。獲物を追いかける狩りだとどうしても大きな労力と時間が必要になるが、罠猟はそれに比べるとエネルギーの消費が少なく、仕掛けてしまえば待つ間にほかの作業もできる。また、下手な鉄砲も数撃ちゃ当たる、ではないが、何ヵ所も仕掛けることができるので、より多くの収穫が期待できる。

罠を使う狩りを成功させるためには、もちろん罠を上手に作る技術が必要である。だが、やはりトラッキングの技術も必要不可欠なものとなる。狙う動物はどんなところを通り道にしているの

か、どんなエサを食べているのか、エサをどのように置けばその動物に警戒されないのかといったことは、その動物のことを熟知していないとわからないからだ。

ここから紹介する落下式の罠の対象はネズミやリスといった小動物だ。私は何も持たないフルサバイバルのトレーニングを行うと、3日目あたりから塩が欲しくなる、そして肉が欲しくなる。そこで罠でも仕掛けたいと思うのだが、残念ながら私は狩猟免許も罠免許も持っていないので日本で罠を仕掛けることはできない。なので、今回も撮影用として法律に触れないように整地された場所で罠を作り、すぐに解体している。

この罠はフィギュア4と呼ばれるもので、太い丸太を落下させその重さで動物を仕留めるもの。紐を使うこともないシンプルなスタイルで、私が最初に覚えた罠でもある。撮影時は時間短縮のためナイフを使わせていただいているが、石器だけで作ることも可能だ。

仕掛けたときに“4”の字になることからこの名がつけられている。地面と並行する材(〇印)がトリガーになっており、その端にエサを刺しておくと、動物が食べたときに4の字が崩れ上の丸太が落ちてくる仕組み

フィギュア4の作り方

1

素材集め。小指程度の太さで、長さが20cm程度の枝2本、10cm程度の枝1本が必要になる。生木が加工しやすいが、生木の匂いは野生動物にとって警戒される恐れがあるため、枯れ枝を使いたい

2

野生動物は敏感で人間の匂いがする罠に寄ってこない。そこで、作業をする前に炭で手の匂いを落とす。炭を手に付けて、擦り合わせるようにして念入りに行う

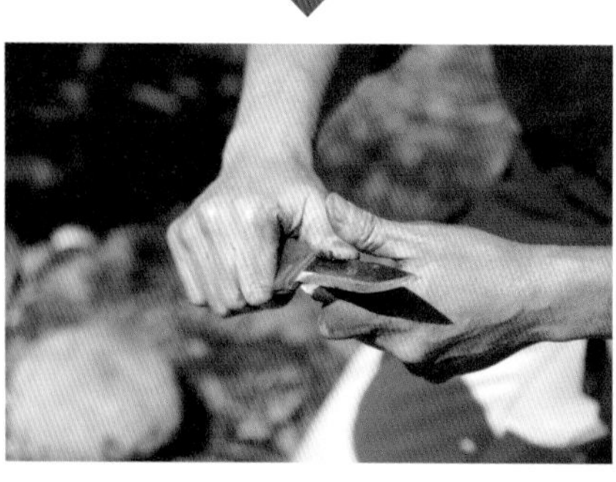

3

長い材1本と短い材の先端両側を平らに削り、マイナスドライバーの頭のように平べったい形状にする。また、長い材の中央部と、もう1本の長い材の端近くにラッチノッチという切り込みを入れる。ラッチノッチの位置と向きはp.184上のイラストを参照

4

短い材の中央付近にスクエアノッチと言われる刻みを入れる。こちらも位置と向きはp.184上のイラストを参照してほしい。ここが材と材が重なり合う部分になる

5

スクエアノッチが完成。これで材料の加工は終了だ。３本とも、削って木肌が表れた部分に炭を塗り込んで匂いを消しておく

6

一度セットしてみて、ノッチがうまく引っ掛かるか確認。ノッチは大きいほど引っ掛かりやすくなるが、その分罠が発動しにくくなるためギリギリを狙う

罠の本体となるのはこの3本の材。あとは、落として動物を潰すための太めの丸太や大きな石だ。丸太をまっすぐ落とす場合、ガイドとなる小枝2本を用意する。また、使用する材の切れ込みを入れた部分には炭を塗り込み、コントラストと匂いをなくしておこう

■フィギュア4の設置法

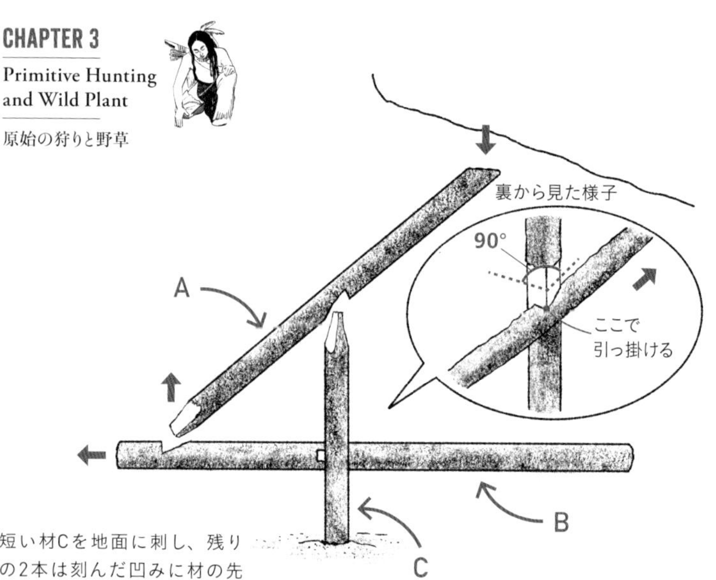

短い材Cを地面に刺し、残りの2本は刻んだ凹みに材の先端を噛ませて4の字を描くように組む。その上に落とす丸太を乗せて固定する。図内の矢印はそれぞれの部位にかかる力の方向を示している

1

丸太がまっすぐ落ちるように、ガイドとなる枝で丸太を挟み込むように地面に打ち込む。刺さりが悪ければ、先を尖らせる

2

材Cを地面にまっすぐ突き刺して、斜めの材Aの中央にある切り込みに材Cの先端を食い込ませる。そして、材Aの上に丸太を載せる

3

材Aを押さえたまま丸太を離し、地面と水平の材Bをはめ込んで固定する。切り込みをギリギリのサイズにしているので、崩れないように組むのが難しい

4

反対側から見るとこのような感じ。材Bの丸太側の端にエサを刺すか載せるかして動物をおびき寄せる

試しに棒でエサが付く部分を軽く触ると、丸太が簡単に崩れ落ちた。このように感度が高い罠にするには、最初は切り込みを浅めにして、テストをしながら少しずつ深くしていくといいだろう

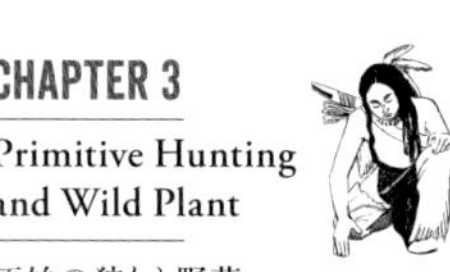

原始のナビゲーションテクニック

現代人が森の中でまっすぐ歩くのは難しい

一説によると、原始に生きる人々には道に迷うという概念自体がなかったという。恐らく、自然の中に生きる彼らにとっては、今いる場所こそが自分の生きる場所だという感覚だったのだろう。しかし、我われにはやはり道に迷わないためのナビゲーションテクニックが必要だ。

トム・ブラウン・ジュニアの一番弟子であるジョン・ヤングが行ったある実験について話をしよう。まず森に沿った林道に10人の人を互いが見えないくらい間隔を空けて並ばせ、それぞれの人の足元に目印をつけさせた。そして森の中に向かって200歩進んだら、Uターンして戻ってくる。それでどれだけ目印の近くに戻ってこられるかというのが、その実験の内容だ。

結果、林道に戻ってこられたのは、普段から森に暮らしている老人と、祖母から森で迷わない方法を教わったことがあるという女性の2人のみ。あとの8人は、林道に戻ってくることさえできず、森の中をぐるぐると回り続けていたそうだ。

その理由は、ほとんどの人は左右どちらかの歩幅が長いため、一方向に曲がりながら進んでしまうからだ。トム・ブラウン・ジュニアいわく、白人男性の大人の多くはまっすぐ歩いているつもりでもたいてい直径1.6㎞の円を描いてまた元の場所に戻ってくるという。

というわけで、森で迷わないためのテクニックを紹介しよう。どれも単体で機能するものではないので、いくつものテクニックを同時に使い総合的な方向感覚を身につけていただきたい。

テクニック❷

太陽の位置を常に意識しておくこと。北半球であれば、太陽は朝6時にはほぼ東、昼に南、夕方6時に西にある。長い時間でなければ、太陽がどちらにあるかだけでも意識すれば方向がわかる

テクニック❶

これはまっすぐ歩くためのテクニック。自分の正面目線の一直線上に並ぶ対象物を見つける。写真では3本の木（矢印）。それが直線からずれないように進む。1つ目の対象物に辿り着いたら、また奥にひとつ目的物を探す

テクニック❸

自分の足跡や痕跡を逆に追っていくバックトラックというテクニックがある。ただし、足跡がつきやすく消えにくいという条件が必要だ。雪上の足跡はものすごく頼りになるが、雪が降り始めると10分ほどで消えてしまうこともあるので注意

テクニック 4

太いとか珍しい色だとか、森の中で印象的な木や岩などがあったら、覚えておき目印にする。数百mごとにそれを見つけ、それを登場人物にみたて、子供に戻ったつもりで物語を作っていくと覚えやすい。例えば登場人物の木と会話をする場面などをエンビジョンしてみよう

テクニック❺ 木に枝を掛ける、木の皮を剥く、石を積むなど自分で目印を作る。つけた目印は逆方向からどう見えるかチェック。できれば発見しやすいよう目の高さに作る

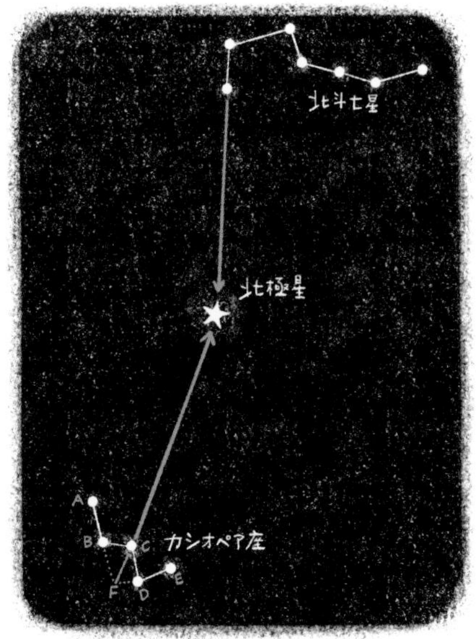

テクニック❻

夜のうちに北極星を見つけて、方向を理解しておく。北斗七星のひしゃくの先の2つの星の距離を5倍伸ばしたところ、あるいはカシオペア座の左右の2つの星（A-B、E-D）をそれぞれ結んで伸ばして交差した点（F）と、中央の星（C）とを結んだ線の延長線上に北極星はある。ただし、基本的に夜間は行動しないでおく

テクニック❼

これは文明の利器である地図を使った方法。自然に入る前にその場所の詳細な地図を手に入れて、実際にそこにいるかのようにマップ上を旅する。とくに川や道を覚えておくと迷ったときに役立つ

野草食

サバイバル食の王様

サバイバルの食事というと、狩りをして動物を料理するとか、魚を捕るというイメージを持っている人は多いのではないだろうか。一方、野草というととても地味なものと感じてしまうかもしれない。しかし、野草は実は極めて優れたサバイバル食である。

その理由の1つ目は、栄養が豊富なことだ。現代人にはビタミンやミネラルが不足しているというが、野草にはそのどちらもが凝縮されている。野草がたくさん採れたときなど、最初は勢いよく食べていたのにすぐにペースダウンして食べられなくなるということがよくある。それは無理して野草を食べているからだ思うかもしれないが、そうではない。実際に野草を食べてみるとわかるが、少量で栄養はもう十分摂ったと体が信号を発し知らせてくる。それで満足感を得られるのだ。シカなどの草食動物は、植物しか食べていないのに、あれほど体が大きく筋肉も発達している。消化システムの違いなどはあるだろうが、野草が栄養豊富な証にも思える。

もう1つ野草が優れている点が、採取するのにさほどエネルギーを必要としないということだ。季節にもよるが野草は種類が多いし、群生していることもあり、少ない労力で多くの収穫を得ることができる。また、食べられる野草のほとんどが同時に薬草であるというのも魅力だ。現代食は食べて体調が悪くなるものがあるが、野草ではそういうことがまずない。私は、野草を食べるとどんどん力が湧いてくる。サバイバル食として、自信を持って野草をおすすめする。

食べることができる野草の種類はとても多い。自分の家の庭を見渡しても、食べられない草の方が少ないくらいである。栄養が凝縮している野草は、本当に優れたサバイバル食だと思う。また当然のことだが、野草には毒が含まれているものも多い。きちんと食用になる野草だと同定してから採取してほしい

野草スープを作ろう

安全で栄養を残さず摂れる食べ方

野菜を調理するのにいろいろな方法があるが、最高のサバイバル料理と言われるのは鍋料理。茹でて食べるというのが最も間違いのない食べ方だ。

その理由は、間違いなく熱が通るからだ。自然の中とはいえ動物の排泄物などで汚染されている可能性もある。そういう場合でもまんべんなく熱を通すことで安全性を高めることができるのである。しかも、ほかの調理方法では逃げてしまいがちなビタミンやミネラルなどの栄養素がスープの中に残るので、飲むことで余すことなく取り込むことができる。また、味が濃すぎて食べにくい野草もあるが、茹でると味がまろやかになりおいしく食べられるようになるという理由もある。

失敗が少ないというのもいいところだろう。特徴的な味でこれを入れたらまずくなるという野草さえ覚えておいて入れないようにすれば、たいていはおいしくできる。もし塩やキャンプ用のスパイスなどを使ってよしとするならば、さらにおいしくできる。もちろん、肉を入れてもいい。初めは調味料やほかの具材を使うのも大いにありだと思う。

野草のおいしいまずいに関しては、不思議なもので普段の我われの感覚からするとまずいけれども、体がおいしいと言っていることがわかることがある。青汁のように、おいしくはないけどなぜか飲み続けてしまう感覚と同じかもしれない。慣れてくるとさらにおいしく感じるのでぜひ食べ続けてもらいたい。

茹でるだけだから調理も簡単。火にかけられる器がなければ、煮沸するのと同じように焼いた石を器に入れればいい。ただし、石の容積の分、大きめの器が必要になる

石を使った原始の調理法

調理道具としての石

ここからは、原始の調理方法について説明していこう。火や熾火に食材をかざせば火を通すことは可能だが、そうした方法は普段皆さんもキャンプで経験していると思うので、ここでは石を使った調理方法を紹介しようと思う。食材を熱するのに直接火にかざすのと石を使うのとでは、熱の通り方が違う。そして、熱の通り方が違うと味も食感も変わってくる。

石焼きで使う石はそのまま鉄板のように使える形で密度が高く、表面が滑らかなほうが調理しやすい。しかし、なかなかそういう石とは出会えないので、なるべく平たい形で手の平より少し大きいくらいのサイズのものをたくさん集めるようにする。とはいえ、調理法によっては丸い石が適している場合もある。

拾いに行くのは、石がたくさんある河原がいいだろう。だが、川の流れや水溜りなど水に浸かっている湿った石は焚き火に入れると爆ぜる可能性があるので気をつけたい。石が爆ぜるととても危険なので、私は焚き火で石を熱するときは自分側に置く薪の密度を高くして、石の破片が飛んでこないようにしている。

集めた石は焚き火の中に入れて熱するが、できるだけ高温にしたい。大切なのは上下左右全方位から熱することなので、薪を多めに使う。焚き火の形は効率よく燃えるティピー型にするが、さらにその周りにも薪を組んで囲み、熱を中に閉じ込めるようにする。

平たい石、丸い石を中心に、表面がなるべく滑らかなものを集める。写真程度のサイズのものをいくつか集めるといい

高火力の焚火で1時間ほど石を熱すれば、十分長い間火力を保持できる石ができあがる。熱した石はp.130で紹介したトングなどで扱うようにしよう

熱量の大きな焚き火を作る

1

下からの熱を得るために、薪をいかだ状にして置きその上に熱する石を置く。あとは通常の焚き火のように、火口、鉛筆の芯の太さの薪を置き着火。下にもう1段薪を重ねてもいい

2

火がついたら石の周りに細い枝から順に薪を組んでいく。薪は石が見えなくなるぐらい敷き詰めたいので、事前に石を覆えるぐらいの長さに枝を折っておこう

3

ティピー型の焚き火を組んだら、その周りを囲うように井桁状に太い薪を組んでいく。全方位から石を熱することができるし、万が一石が爆ぜても薪がガードしてくれる

井桁に組んだ薪にも火がつくと、大きく厚みのある炎が生まれる。ワイルドな方法だが、効率よく石の温度を高くするには、適した石の選び方や焚き火の熱量を高める方法など、さまざまなテクニックが必要になる。熱された石が爆ぜることがあるので注意

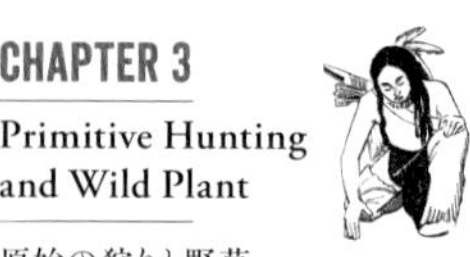

原始の調理法❶ 穴に埋める

これはスチームピットとも言われる調理方法で、地面に深い穴を掘り、熱した石や葉、食材を埋めて蒸し焼きにする。深い穴を掘らなくてはいけないし、石も熱さなければならないため、普通に焚き火で料理をするのと比べると手間も時間もかかる方法である。

では、なぜわざわざこんな面倒なことをするのか。それは実際にやってみればよくわかるのだが、料理がとてもおいしくできあがるからだ。今回は鶏肉を使ったが、水分が逃げにくいおかげで非常に柔らかくジューシーに仕上がるし、栄養が逃げず滋味がギュッと詰まった味になるのだ。

穴を掘るのは一苦労だが、一度掘ってしまえば繰り返し使うことができるし、石や食材を入れて埋めてしまえばあとは待つだけなので、簡単といえば簡単だ。きっと原始の生活では、寒い日焚き火で暖を取っているときに、どうせなら石も温めて、今日はいつもと違うおいしい蒸し料理でも作ってみようか、というような感じでこの料理をしたのではないか。そして、できあがるのを皆で楽しみに待ったのではないだろうか、と私は勝手に想像している。

調理法とは直接関係ないが、穴を掘る道具にも触れておこう。ディギングスティックと言われるこの道具は、枝の先を尖らせただけのもので、最も原始的な道具と言われている。先を尖らせる方法はいくつかあって、もちろん石器で削るというのもそのひとつだが、火で焦がしながら削るという方法がユニークだ。枝の先端を少し焦がしてから、平らな石などを利用して研ぐようにして削っていくのだが、不要部分だけうまく焦がしながら削っていくと、先端を非常に鋭くできるのである。しかも、焼いて水分が抜けるおかげで非常に硬く仕上がり、硬い地面でも掘りやすくなる。

1

掘る穴のサイズは、食材に合わせる。今回は長辺が20cm程度の鶏の胸肉を使ったが、周りに余裕がないといけないので直径約60cm、深さ60cmの穴を掘った

2

枝でガイドラインの円を描いてから掘り進める。ディギングスティックで掘るときは、スコップの効率のよさを頭から追い出して作業する。でないと無力感に襲われる

3

これぐらい掘ればいいだろう。正直に言うが、撮影時間の都合上、このときはスコップを使った。余裕がある方は、ぜひディギングスティックのみで完結させてほしい

4

一番下に、焼いた石を入れる。穴の中にまだ熱していない石を入れ、その上で焚き火をするという方法もあるが、私は石の温度をより高めるために、焚き火で熱する方法にしている

NEXT PAGE

5

石の上に植物の葉を敷き詰める。生の葉を使うことで、そこから上がる蒸気を利用できる。今回使ったのはシダ植物で、厚さは押し固めないで3cmぐらい

6

葉に食材を載せ、その上にシダをかぶせた。そして食材に土が落ちたり、土の匂いが付かないように、その上に細い枝を並べて置いた。木の皮など平たいものがあればなおいいと思う

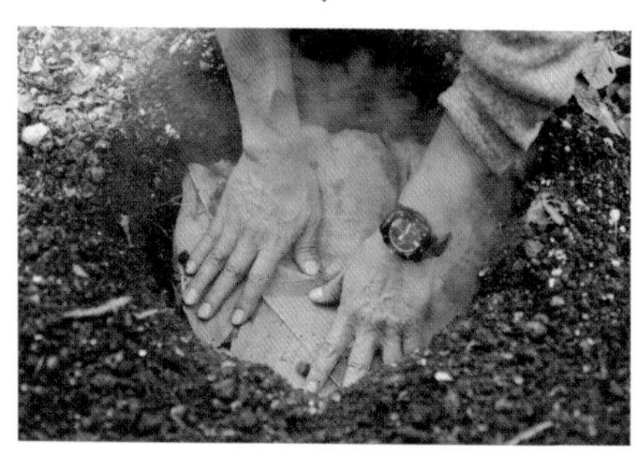

7

さらに大きな朴葉を発見したので、すき間ができないように上からかぶせた。これで内部が密閉された状態となり、食材がしっかりと蒸されるようになった

8

あとは土をかぶせて待つだけ。このときは1時間ほど待った。日が暮れて埋めた場所がわからなくなってしまったなどということがないように注意する

9

ころ合いを見て穴を掘り返すと、シダが蒸気と熱でしんなりとしていた。食材に土がかからないように、慎重に葉を取り除くようにする。地中から、香ばしいいい香りが漂ってくる

10

取り出した肉。中までしっかり熱が通っている。土が食材に付かないように食材を朴葉など大きな葉で包んで埋める方法もあるが、今回はより蒸気にさらされる方法を選んでいる

ふっくらと柔らかく、とてもジューシー。熱量が高かったおかげか、おいしい焦げもできていた。鶏肉の左上にあるのは、一緒に入れておいた牛肉である。このように、ある程度厚みのある肉の方が向いている調理法だと思う

原始の調理法❷ 熱した石の上で蒸し焼き

熱した石の上に食材を載せて焼く石焼きというのはよくあるが、それに一手間加えるだけで蒸し焼きという少し違った仕上がりが楽しむことができる。

石焼き料理というと平たい板状の石を下から熱して、その上で調理をするというのが一般的だが、実際にはそういういい石はなかなか見つからない。そんなときに使える方法が、上から石を熱するというこのやり方で、石が薄くなくても、平らな面積が大きくなくても問題なく石焼き料理を楽しむことができる。ぜひ覚えておくといいだろう。

どうするかというと、ある程度平らな面がある石を数個タイル状に並べ、その上で焚き火をして石を熱する。大きな石でなくても、複数並べれば十分な調理スペースができるのだ。そして十分石が熱せられ、火が燃え尽きたところで灰や炭をどかし、そこに食材を載せる。

ポイントは、このとき使う薪は針葉樹にすることだ。基本的に灰や炭には毒性がないとされているが、なかには危険なものもある。しかし、針葉樹で毒性のある木というのは私が知る限りない。石が熱せられたらその上の灰や炭を取り除くが、それでもやはり多少は残ってしまうので、薪には針葉樹を使ったほうが安心なのである。また、広葉樹と比べて針葉樹は火が付きやすく、一気に火力が高くなるので、石を熱するという目的にも適している。

なお、汚れや雑菌が気になるので最初に石を洗いたいという人もいるだろうが、火で熱しているので雑菌の心配はないだろう。水分を含むと焚き火の中で爆ぜる心配があるので、私は石を水で洗うことはしない。汚れは葉などで払うくらいで済ませている。

1

石を複数個タイル状に埋めて並べる。できるだけすき間がないようにしたい。このときは周りからの熱も欲しくて周囲にも薪を置いたが、なくても問題ないだろう

2

並べた石の上に、鉛筆の芯サイズ、鉛筆サイズ、指サイズ、バナナサイズというように、細い順に薪を組んでいく。一気に火を大きくしたいので、細い薪が多いほうがいい

3

組み方はやはりティピー型。周囲にも薪を置いたのはその場の思い付きだったが、何かひらめいたら、とにかくやってみたほうがいい。それで新しい発見が生まれることも多い

4

組んだ薪の中央にある火口に着火。薪がきちんと組んであれば、勝手に炎が大きくなるので、あとは待つだけだ

NEXT PAGE

5

石がしっかりと熱せられ、焚き火はほぼ燃え尽きた。せっかく焚き火をするので、待っている間はお茶などを沸かして飲みながらゆっくり待つのもいいだろう

6

石の上の灰や炭を取り除く。このあと載せる肉に付かないよう、葉などをほうきのように使いできるだけきれいに掃く。石が熱せられているので、火傷には気をつけること

7

掃き終えたところ。この上に肉を載せて焼くだけなら、燃え残っている炭を周りに置くと遠赤外線でよりうまく焼ける。今回は蒸し焼きなのできれいに取り除いた

8

石の上に食材を載せると、ジューッと焼ける音がして蒸気が上がる。写真ではわかりにくいが、このあと上から葉を被せるので、肉の周囲に枝を何本か置いている

9

少量でいいので水を石にかける。すると、さらに多くの蒸気が立ち上る。食材に直接水をかけてしまうと水っぽくなってしまうので注意

10

用意しておいた朴葉を、肉の周囲に置いた枝に載せて蒸気を閉じ込める。肉の上に直接葉を置いてもいいのだが、蒸気がこもるスペースが欲しかったのでこうした

しばらく待てば蒸し焼き肉ができあがる。ただ焼いただけのものと比べると、よりジューシーでおいしく感じられる。ときにはこうしてユニークな調理に挑戦してみるのも楽しいと思う

原始の調理法❸

焼き石と食材をスクランブル

さらにユニークな調理方法を紹介しよう。ソフトボール大の石を焚き火で熱し、その上に肉などの食材を載せて火を通すという方法で、油を使っていないのに炒め物のような仕上がりになる。

この調理法のいいところは、使う石が1個で済むところ、そして形が板状でなくてもいいところだ。早く栄養を取りたいときや、焚き火が小さいときに便利な方法で、平らでない石の表面積を効率よく使って調理ができる。

調理のコツは、食材を細かく切っておくこと。そうすると、早くまんべんなく火が通る。あとは、石の周りが土だと料理が汚れてしまうので、周囲に何かしらシート状のものを敷いてやるといい。木の皮を使うのが手っ取り早いのだが、今回は手に入らなかったので、シダの葉を敷いている。

1
まずバナナの太さ程度の枝で三角形の枠を作り、その内側にシダの葉をすき間がないように敷き詰める。厚さは3cmほどにして、土が露出しないようにした

2
焚き火で熱した石を運んで枠の中央に置く。焼き石は針葉樹の細い枝の分かれ目を利用し、3点でくるりと包むようにすると簡単に持ち運ぶことができる。食材は、石を熱している間に細かめに切っておく

3

熱い石の上に食材を載せる。このときは肉と一緒にタンポポの葉も炒めた。焦げつきを防ぐため、フライパンでする炒め物と同じように食材を石の上で動かす

4

石の上に少量の水をかけてやると、蒸気が上がって食材によく火が通る。肉が焼ける豪快な音といい匂いが食欲をそそる。肉の全体に火が通ればできあがりだ

ふたつの食材を一緒に炒めるだけなので、作るのは簡単。タンポポの葉特有の苦味がいいアクセントになり、調味料を一切入れていないにも関わらずとてもうまい

CHAPTER 4

Healing

ヒーリング

ネイティブアメリカンの健康に対する概念

Wholeness（フルネス）＝全体化されていること

どのような文化にも、ヒーリングという概念がある。もちろん古来のネイティブアメリカンの文化にもその概念が深く根付いていた。我われがヒーリングというと、怪我や痛みがあるときの治療のようなことを思い浮かべるが、彼らにとってヒーリングとは1つの哲学であり、生き方そのものでもあった。

ヒーリングが健康になるためのものだというのは、彼らにとっても同じである。しかし、健康とは何だろう。我われからすると病気や怪我をせず元気に生きていることが健康だろうが、彼らにすればそこにはもっと大きな意味があった。彼らが健康であるということは「Ｗｈｏｌｅｎｅｓｓ（フルネス）」、つまり全体化されていることを意味していた。全体が何を指すかというと、もちろん自然だ。自然と自分が一体化できているかどうかが、健康であるかどうかの指標だったのだ。

彼らの考えからすると、全体化できているのであれば、ヒーリングの結果命を落としたとしても、それは悪いことではない。それはヒーリングの正しい結果だ。現代人からすると受け入れ難い考えかもしれないが、それが彼らの哲学だったのである。

なぜそういう考え方になったのかというと、彼らが触れるエネルギーの中で最強・最大なものが自然だったからだ。自然以上のものはこの世に存在しない。だから自然と一体になることが、自分が最も強くなる方法だったのである。

自然と一体化することが健康であり正しいことである。ネイティブアメリカンのその考えに、私は少なからず同感を覚える。あなたはいかがだろうか

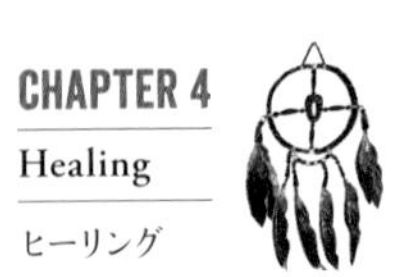

5つのナチュラルメディスン

現代人が忘れてしまったメディスン

ナチュラルメディスンとは何か。私は「栄養」と訳すのが好きだ。栄養と言っても食べ物に含まれている成分ではなくて、美しい景色を見ることや人に優しい言葉をかけてもらったりすることなど、心や体を喜ばせてくれるすべてのものと捉えてほしい。

現代生活においては医者から薬をもらって飲んだり、手術を受けることがメディスンで、それによってヒーリングしてもらっている。それはそれで素晴らしいことだ。しかし、ここで触れたいのは、もっと原始的で我われ現代人が忘れてしまっているメディスンについてである。

ここから5つのメディスンを1つ1つ紹介していくが、トラッキングの技術と同じように、本来はそれらはすべてが緩やかに繋がっていて、分解して考えるものではない。すべてが1つの物語なのである。だから、ここから先を読んでいただく皆さんには、自分の中でそれらをすべて融合させて、自由に、自分が一番気持ちがいいように解釈してほしい。

自由に、自分が一番気持ちがいいようにというのは、ネイティブアメリカンの教えのなかでとくに大切とされることである。また、私たちの常識では、誰が何回やっても同じ結果になることを真実というが、ネイティブアメリカンの教えでは、繰り返すことのできない唯一無二のものこそが真実だとされる。だから、ぜひ自分の好きなように解釈して真実の物語を見つけてもらいたい。

メディスンには、静寂のメディスン、物語のメディスン、心のメディスン、生活のメディスンと

ヒーリングの聖なる流れ

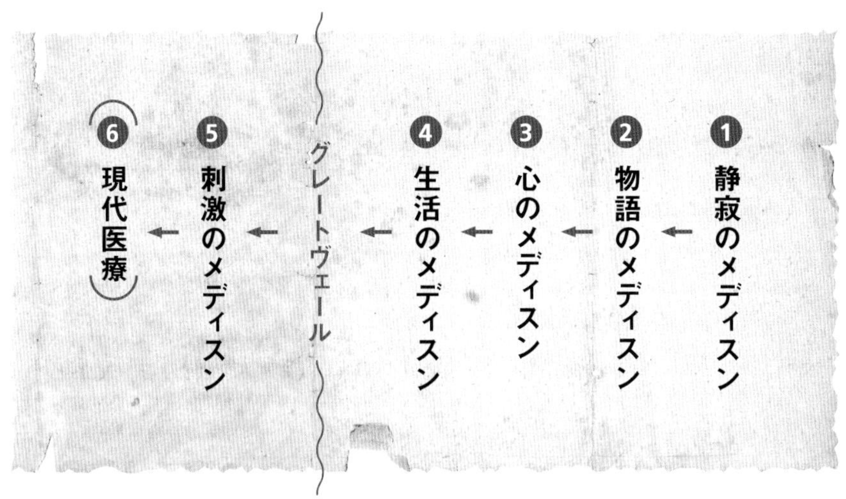

グレートヴェールという区切りを挟んで5つのメディスンが存在する。グレートヴェールの先にある刺激のメディスンは何かしらの副作用があるものだが、タイミングや使い方次第でとても役立つものだ

いう4つがあり、その後ろにグレートヴェールという「大いなる区切り」がある。そして、さらにその向こうにもう1つ、刺激のメディスンというのものも存在する。

大いなる区切りの前までの4つは基本的に副作用がなく、我われの健康を育んでくれるものである。一方、刺激のメディスンには副作用があるもので、おそらくその次には現代医療がくるだろう。と言っても刺激のメディスンは悪いものでも危険なものでもなく、使うべきタイミングが必ずある。それぞれのメディスンに何があてはまるかは各自が決めるべきものだが、私の場合はコーヒーも刺激のメディスンの中に入っている。

先に書いたが、メディスンは無形だし、本来分けて考えるものでもない。だから紹介したメディスンを1つ1つ通り抜けてもいいし、一気にまとめて通り抜けてもいい。あるいは逆方向から通り抜けても構わない。とにかく自由であることを忘れずにいたい。

1 静寂のメディスン

自然と同調すること

1つ目のメディスンが静寂のメディスン。このメディスンのシンボルとなるのは、我われ現代人が黒い丸であり、それを透明にしていくというイメージだ。これをロングフォームメディテーションという方法を用いて行っていこう。

現代生活を営んでいると、頭の中に情報が大量に入ってくる。SNSがいい例で、私も好きで長時間見てしまうことがあるが、スクロールするとその情報が欲しかろうがそうでなかろうが、次から次へと入ってくる。そうすると、頭の中にどんどん情報が溜まっていき、いずれパンパンに膨らんでしまう。そんな自分の内部を、静寂のメディスンを身にまとって空っぽにしてみる。

静寂のメディスンを身にまとう理由はいくつかある。まず自然と全体化するためだ。黒い丸である我われは、どこにも属さない存在である。しかし、頭を空にして透明になることで、周囲の色が自分に取り込まれる。自然と1つになり、そのエネルギーに身を任せることができるのだ。

2つ目の理由は、内なるヒーラーの言葉を聞くためだ。ネイティブアメリカンの教えでは、誰もが自分にとって最高のヒーラーである「内なるヒーラー」とともに生まれてくるとされている。しかし、この内なるヒーラーはとてもシャイで、静寂のメディスンを身にまとっていないと、そのメッセージをキャッチできないのだそうだ。つまり逆にいえば、静寂のメディスンをまとえば、そのメッセージをいつも聞けるということである。

■静寂のメディスンを身に纏う方法「ロングフォームメディテーション」

1 コマンドブレスを行う

まず、リラックスできる姿勢を取る。イスに座っても横になっても構わない。呼吸が浅くならない姿勢を取る。次に鼻から息を強く吸って強く吐く。そのときに、自分の周囲には素晴らしい空気が漂っているイメージを持ち、吸うときにその素晴らしい雰囲気を全身の毛穴から体に取り込む。思い切り息を吸ったら、数秒息を止めて体を硬直させる。そして、怒り、疑い、悲しみなどネガティブな考えを全て息と一緒に一気に口から吐き出す。こうして体の硬直と脱力のギャップを感じることで、体をリラックスさせる。これを3回繰り返す。最後の1回は体をかすかに硬直させる程度にし、息を最後までしっかり吐き出す

2 空の容器になり、全身を青くて心地のいい液体で満たす

自分が空の容器になったとイメージし、体の中に青白くて生暖かい液体が自分を満たしていくイメージを持つ。足の指先から、足、踵へと、ゆっくり液体を満たしていく。満たされた部分は温かく心地いい。それがさらに力を抜いてくれてリラクゼーションへ誘う。液体が、筋肉の中心部、内臓の奥、骨の髄までしっかり満ちていくイメージを持ちながら、さらに満たしていく。脚、腰、お腹、胸、肩までいったら、今度は両腕にも流し込む。顔、脳の奥にも液体を満たす。顔は日ごろから緊張している部分なので、よりリラックスして液体をていねいに流し込む

3 体の外に光の繭を作り出す

液体が入りきらなくなると、今度は体の外に染み出して、外側に光の繭を作り出す。その光の繭に包まれると、大きな安心と安全を感じることができる。安心感でリラックスが助長され、体がどんどん重くなっていく。地球が自分のことを愛してくれていると想像し、自分の存在感の重みを感じる。重くてだるい気持ちよさを味わう

4 自由を感じる

坂を登り切ったかのように、あるときを境に急に体が軽くなる。力がどんどん抜けていき、鳥の羽根のように体が軽くなる。そして体が宙に浮かぶ。そのまま羽根になって自分が気持ちいいと思う空を、風に乗って旅する。人は本来自由な存在である。この果てしない空を旅し、自由であることの素晴らしさを味わう

5 ブレス・トゥ・サレンダー

サレンダー、つまり降伏する呼吸を行う。自然には何1つ敵わないので、自然に任せ、自然と一体になる感覚を持つ。長く静かに息を吸い、軽く止めてからため息のように長く息を吐く。これを3回繰り返す。吐くときに、飛んでいる羽根である自分が一気に透明になり、空気と一体化するイメージを持つ。繰り返すたびに、自分がどんどん透明になり、最後には自然と同調する

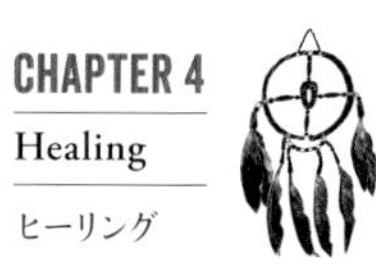

2 物語のメディスン

内なるヒーラーが語る物語を聞こう

静寂のメディスンを身にまとうと、内なるヒーラーがようやく口を開いてくれる。彼が伝えてくるのは、情報ではなく物語だ。この物語の形はいろいろで、言葉で紡がれることもあるし、何かのイメージや雰囲気であることもある。その物語に耳を傾けるのが物語のメディスンである。

このメディスンのシンボルは、静寂のメディスンで透明になった自分の円の一部が欠けてオープンになるイメージ。ありのままの自分を知り、同時に外からの物語も柔軟に取り入れるのだ。

私のヒーリングのワークショップでよく起きるのが、瞑想を行って静寂のメディスンを身にまとった参加者が一時的に体調を崩すという現象だ。頭が痛いなど症状はいろいろだが、そうなるとどこかで休んでもらうしかない。しかし、彼らは1時間も経つととてもすっきりした顔で戻ってくる。そして例外なくお腹がすいたといって夕飯をおいしそうに食べ、翌日はとても元気になる。

最初私はなぜこのワークショップで体調が悪くなってしまうのかと悩んだが、あるときにこれは彼らの内なるヒーラーが、やっと自分の声を聞いてくれたと発する物語なのではと思った。自分の体のことを誰よりも理解している内なるヒーラーが、自分に体のほつれを教えてくれるのだ。

我われ人間は、自分の体や心、スピリットというものを自分で思っているよりずっと正確に理解している。それを認識してオープンになると、今度は自分が必要とする物語が外部からも入ってくるようになる。そしてその物語が自分の魂をさらによりよいものに育ててくれるのである。

人は本来思っている以上に自分の体や心のことをわかっている。そのことを再認識し、内なるヒーラーが発する物語に耳を傾ければ、それまで気づかなかった体や心の不調がわかるようになる

頭が痛い、肩が痛いというのは、自分が自分に対して送ってくるサイン。それを感じ取り、素直に自分のありのままの姿を理解することで、すべきことも見えてくる

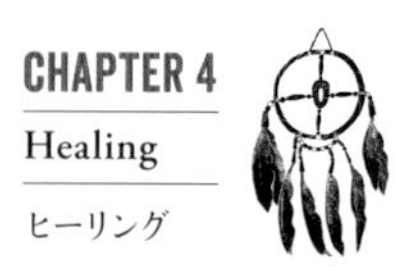

3 心のメディスン

心が持つ癒しの力

心が持つ力というのは、とてもパワフルなメディスンになる。その例としてとてもわかりやすいのが、プラシーボ効果である。酔い止めの薬だと言ってビタミン剤を渡したらなぜか効果があったとか、頭痛の薬だと言ってラムネを飲ませたら本当に効いてしまった、というのがプラシーボ効果だが、一般的には気のせいや思い込みとして片付けられてしまうことが多い。だが、現代人のおよそ5割もの人が、多かれ少なかれこの効果に影響を受けるのだそうだ。あなたもきっと思い当たることがあるのではないだろうか。

こんな話もある。ある薬を飲むと頭が痛くなると言って誰かに飲ませると、本当にその人の頭が痛くなった。そして今度はその人がまた誰か信頼関係にある人に同じようにその薬を飲ませると、また頭が痛くなった。それを繰り返し、最後に何も言わずにその薬を飲ませたら、飲んだ人の頭が痛くなったというのだ。本当の話かどうかは知らないが、念がその薬にこもっていったのだそうだ。古来のネイティブアメリカンのヒーリングの世界では、こうしたプラシーボ効果がしっかりと認識されていた。シャーマンと呼ばれる人が、この極めてパワフルなメディスンを用いてヒーリングを必要とする人に治療を施していたという。

この心のメディスンは、薬草との関係を築くときにも大きな要素となる。例えばヨモギを摂取してそれが効能があるという感覚が芽生えたとする。すると、次にヨモギを摂取したときに、効能が

自然が与えてくれる効能をただもらうだけでなく、自分からその効能を信じ受け取りにいくことで、さらに効能が深まる。互いの間に太いパイプができ繋がることができたということである

あると思い込んでいるためさらに効果が高まる。それまで受け身だったのがヨモギの薬効をこちらから迎えにいくことができた結果、ヨモギと自分の間に太いパイプが生まれ、繋がることができたということになる。そのパイプを作った源はまさに人の心である。

心のメディスンのシンボルはこんな感じである。静寂のメディスンと物語のメディスンで透明の円に穴があき、ストーリーの線が差し込んでいる。その線はあくまで内なるヒーラーが語った何かをもとに入ってきたものなので、ただの1本の線にすぎなかったが、自然と自分の間に相互作用が生まれて線の両端に矢印ができる——。

ネイティブアメリカンの教えでは、人は生まれたときから自然のあらゆる要素、あらゆる人と糸で繋がっている。そして、自分が必要とする存在との間にある糸が少しずつ太くなり、そのうち紐になり、やがてパイプができる。そうして自分と自分以外のものがつながり一体化するのだ。

4 生活のメディスン

静寂、物語、心のメディスンを生活に取り込む

心のメディスンで、自分が心地いいと思えるものと繋がるとお互いの間にパイプができると言ったが、それを日々の習慣に取り入れるのが生活のメディスンだ。

ナチュラルメディスンというものは、頭痛薬のように飲んだらすぐに劇的な効果があるというものばかりではない。毎日の生活の中で、自分の心のあり方や精神のあり方に向き合うことで、メディスンが自分の中にゆっくりと作用していって、何かができ上がっていく。そうやってできたものは非常に強固で、地に足がついたものになる。

ネイティブアメリカンのヒーリングも同様の考え方で行われた。現代のヒーリングというと、もともと完成した形があって、そこに入ってしまった悪いものを取り除くとか、欠けてしまった部分を塞いで元の形に戻すという考え方のものが多いように思う。だがネイティブアメリカンの古来のヒーリングは、作用としてはそのようなデトックス的なものはあるのだが、考え方としては弱いところに続けて栄養を注いでいくことで、その部分を強くしていくという方法を取る。例えば肝臓が悪いとしたら、肝臓の悪いものを取り除くのではなく、肝臓そのものを強くしていくことで結果的に肝臓が悪いものを取り除くようにするのだ。

だから彼らはさまざまなトラブルや病気を恐れていなかった。それをきっかけにしたヒーリングを通して、体も精神もより高いところに行けると信じていたのだ。

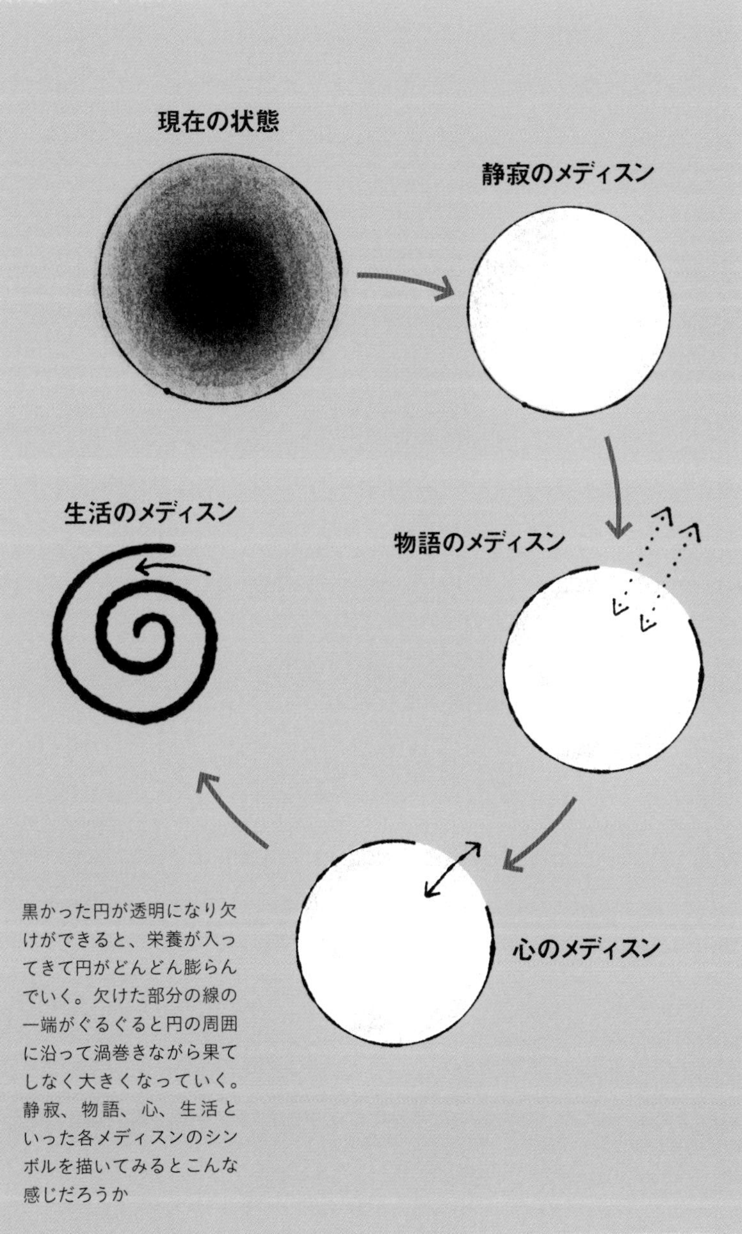

黒かった円が透明になり欠けができると、栄養が入ってきて円がどんどん膨らんでいく。欠けた部分の線の一端がぐるぐると円の周囲に沿って渦巻きながら果てしなく大きくなっていく。静寂、物語、心、生活といった各メディスンのシンボルを描いてみるとこんな感じだろうか

5 刺激のメディスン

本当に必要なときだけに使用するメディスン

ネイティブアメリカンの人々は、自分に生じる不具合や問題をギフト、つまり自分への贈り物と考えていた。自分の体やスピリットの素晴らしさを信じていたからこそ、不具合や問題も価値あるものとして受け入れていたのである。

ストレスに対しても考え方は同じだ。現代生活ではストレスは悪いものとして扱われるが、ネイティブアメリカンの人々は、ストレスは自分にきっかけを与えてくれる大切なものだと考えていた。例えば、薬草のなかにはトニックといわれる刺激作用を持つものが多くある。タンポポがそうで、タンポポはある意味肝臓に良質なストレスを与え、摂取し続けることで肝臓に耐性ができる。さらに摂取すると耐性がまた高まり、徐々に肝臓が強くなっていくとされている。ただ、これはストレスを与えはするが、少しずつ積み上げることで効能を高めていく生活のメディスンだ。

一方、刺激のメディスンというのは、何かしらの刺激を与えることで、瞬間的にその部分の機能を向上させるものである。地道に積み上げられたものではないので、効き目がなくなればまた元の状態に戻ってしまう。もしくは、無理をしてその機能を高めたせいで、以前より弱くなってしまうこともある。これが副作用があると言われる所以だ。

古来で言えば、コカの葉など覚醒作用があるものがこれにあたる。私にとっては、眠気を覚ますコーヒーも刺激のメディスンの1つである。

静寂、物語、心、生活などのナチュラルメディスン。自分という存在を通じて、大自然のパワーを実感するということは、その力が自分に宿ることにも繋がる。ゆえに、自分という存在価値の素晴らしさも自然と感じられる。ナチュラルヒーリングには、自分のスピリットまで癒す力があるのだと思う

アースハーブを利用しよう

野草と気軽に遊ぼう

アースハーブとは、つまり野草のこと。野草を薬草として使ってみようという提案である。と言っても、断りをいれておかなければいけないが、この先出てくる○○に効果があるとか△△に効くとかいう話はすべて個人の見解で、体調が悪いときに薬草での治療をすすめるわけではないということだ。あくまでも個人の責任のもとで薬草を楽しんでいただきたい。

薬草に関する本を見たりすると、鳥の声と一緒で何百もの種類の野草が載っている。それを見ると、頭痛、擦り傷など考えられる不具合をカバーしようと思ったら、一体何種類の野草を覚えなければいけないのかと思ってしまう。よほど勉強熱心な人でないと、習得するのは難しそうだ。

しかし、ここでこんな教えを紹介しよう。「効能の違う5種類の薬草を覚えるより、1つの薬草が持つ5種類の効能を覚えなさい」というものだ。実は、野草が持つ働きというのは、1種類に1つではない。1つの野草と深く遊んでみると、驚くほど多くの働きを持っていることがわかる。5種類程度の薬草利用法をフルに覚えてしまえば、日常で起こりうる不具合のほぼ全てに対応できる。

しかも薬草とされるものの多くは、どこか山奥に行かなければ見つからないとか、希少な種類ということもない。ヨモギとかタンポポとか、ちょっと自然があるところなら世界中どこにでも生えている身近な野草ばかりだ。野草というとハードルが高いように思えるが、決してそんなことはない。気負うことなく、自由に楽しめばいいと思う。

わざわざ遠くまで採取しにしかなくとも、身近な自然の中に薬草はたくさん生えている。決してハードルが高い世界ではないので、気軽に楽しんでいただきたい

１つの野草でも実にたくさんの働きを持っている。お茶にしたり、軟膏にしたり、オイル漬けにしたりとさまざまな方法でその働きを引き出すことができる

自分だけの薬草図鑑を作ろう

野草を採取しに行く前に、まずは図鑑を作る。これはトラッキングで獲物の図鑑を作ったのと同じで、その野草の全体像をつかみ、自分の中にイメージをしっかりと入れるために行うものだ。

作り方も動物の図鑑と同じで、最初は対象とする野草を1つ決めて、その野草のことを調査する。だが、ここでダラダラと長い時間をかけず15〜20分、長くても30分以内にする。タイマーをかけてもいいだろう。調べる方法は、私は図書館に行くのが好きだが、インターネットでも本でも好きなもので構わない。大切なのは、これから会いにいく生きた野草のスピリットをそのまま自分の中に取り込むと意識しながら行うことだ。

具体的に何を調査すればいいかというと、まず見分け方である。植物を見分けるポイントは、花の形、枝分かれのパターン、葉の形の3つ。対象の野草がどのタイプにあてはまるのかを覚えておく。あとは花を咲かせる時期、野草としての使い方、その働きなど。日当たりがいいところが好きなのか、日陰が好きなのか、水場が近いほうがいいのかなど、好む場所の情報もあるといい。この野草を人間にするとどういう感じか、人格を与えるとしたらどんな感じかというのをイメージしながら調査していただきたい。

調査を終えたら、左ページのように調べたことを1枚の紙に書き込んで図鑑にする。これは私のワークショップの参加者が作成したヨモギ図鑑で、ヨモギに対する思いが伝わってくる書き込みである。

earth harbalist 3th　2022.11

Mitsuko Shimamura

ヨモギが生えている場所

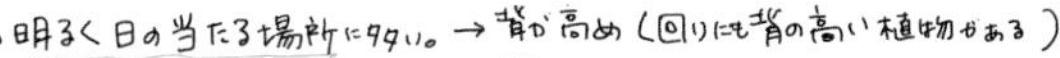

・明るく日の当たる場所に多い。→ 背が高め（回りにも背の高い植物がある）
・たまにやや日陰にも生えている。→ 背が低め（〃 にはあまり背の高い植物がない）

環境に合わせて草丈を変化させているのか？ 臨機応変 - ムダにエネルギーを使わないで

・標高2000mの場所にも生えていた！ 寒さにも強い！？
でも日当たりの良い斜面。やっぱりお陽様は好きなようだ。

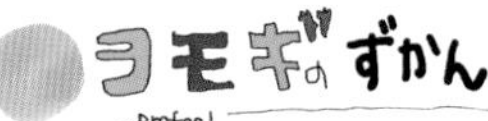

ヨモギのずかん

profeel
キク科 ヨモギ属 多年草
学名：Artemisia indica Willd
別名：モチグサ　生薬名：艾葉（がいよう）

古来より食・薬・浄化などに利用されてきた
薬効も多く
ハーブの女王
言われている。

英語
Wormwood
mugwort
Sagebrush

・群生している事が多い

友達いっぱい！

お日様が好き♥

地下茎で増える。

・蓬 ・因才草 ・善萠草 ・善燃草
名前もいっぱい

・お灸のもぐさは葉ウラの白い毛を集めたもの…ゆっくり燃える。
香りの主成分：シネオール
・花粉症の原因にもなる

虫を頼らず風で受粉する
風媒花

花は目立たない
3ミリぐらいで
ちょっとピンクがかっている。
秋に咲く（9月〜10月）

・カズサヨモギ
・オオヨモギ
・ニシキヨモギ（フーチバー）
：etc
日本に30種以上自生している

葉はきれこみがあってまわりはギザギザしている

◎きれこみは
浅いもの
深いものがあるが
成長して背が高いものは深く細長くなっているようだ

ここに小さい葉がついている

葉ウラは白っぽく見えて
細かい毛が生えている
ビロードのようにフカフカ
←乾燥にも強い!!

Yomogi

高いものは1mくらいになる。
以外と負けずギライ
背くらべに勝ちたいみたい

交互に出ている
（互生）

かじると
苦い
肝臓によい

甘い

しょっぱい
ミネラル

渋い…
タンニン 収れん作用

よい香り…
精油成分 効用

葉をちぎったりもんだりするとヨモギ独特の清涼感のある香りがする。

虫にかじられたら
この香りで撃退しているようである…
葉っぱには虫にくわれたあとも…　生存競争は大変そう。

活用

● Tea
精油成分が逃げないように
フタは大事!!
・フレッシュなヨモギをちぎってカップに入れ
熱湯を注ぎ
すぐにフタをして
20分おく！
フタをとって香りをいっぱい吸い込もう！
そして味わう…。

体がポカポカ & リラックス

● Steam Tent
（on the table）
フタ付
Hot water お湯
ヨモギ
キラーン
目の疲れ 肩や首のコリがスッキリ！ 鼻もスースー！
フタをして20〜40分
タオルをかぶる
だれ!?

● ハーブビネガー
リンゴ酢
ヨモギ
なんでも刻んで漬けるべし！

● Tincture（チンキ）
50°のウォッカ
＋
ヨモギ（つかるように）
6Wしたらこす！

● Infusion
Hot water
フタ
1晩おく
数回でちょっとずつ飲む
ヨモギ
便秘が直った〜 わーい

● Cooking
・パンケーキ
・天ぷら
・ヨモギ団子・草もち

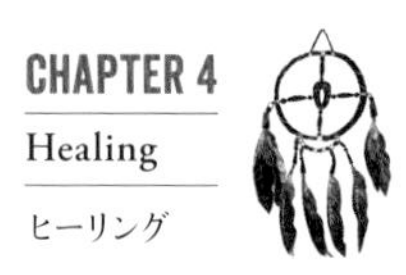

自分が摘む野草と繋がる

素晴らしい自然の力をいただく

図鑑を作ったら、いよいよそれを持って野草を摘みに出かけよう。ただし、そのときにいくつか注意すべきことがある。

まずは道路からは少し離れた場所、道路の規模によるが10歩程度は入って摘むのがいいだろう。車の排気ガスがかかっているかもしれないし、殺虫剤や除草剤が撒かれている可能性もある。犬の散歩道であれば、糞尿も気になる。そしてもちろん、人の土地でないかも確認しなければならない。

採取する場の雰囲気もとても大切で、野草が生き生きとしているのを感じられる場所を選ぶことが大切だ。野草に触れて摘むという行為自体が、とても効果がある心のメディスンである。そこに力強く生きる野草のエネルギーそのものをいただくつもりで出かけよう。

採取に出かける前に、その野草の性格、好む場所などを調べて全体像を作り上げる

野草を摘む前にその場に座って感覚瞑想を行い、その場の心地よい風、暖かい太陽の光などを感じるのもおすすめだ。ちなみに野草を摘む際は、条例等で禁じられていないか、私有地でないかも確認しなければならない

こんな素晴らしい自然に育まれた野草が効かないはずがない。自然の中に出かけ野草を摘むという行為は、それだけで心のメディスンになる

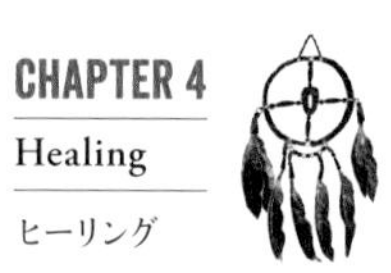

薬草茶を淹れる

薬草の味、匂い、効能を五感で感じる

野草のいただき方にはいくつもの方法があるが、その中で最も手軽なのは薬草茶にするというものだろう。そして、お茶を淹れる方法にも単に野草が持つ風味を味わうための淹れ方と、薬効をしっかりと中に閉じ込めるような淹れ方がある。ここで紹介するのは後者で、野草が持つエネルギーをしっかりと体に取り込むための淹れ方だ。淹れ方のポイントは、薬効を逃さないようにすること。とくに精油成分はとても蒸発しやすいので、蓋をして薬効を閉じ込める必要がある。ヨモギやカキドオシやセイダカアワダチソウなど、葉同士を擦り合わせていい香りがするものはそういった精油成分が含まれているので効能となる成分を揮発させ過ぎないよう気をつけたい。

あとは、野草はお茶にする前にしっかり洗うこと。また、生の野草がいいのか、それとも乾かしたほうがいいのかという問題があるが、これに正解はない。それぞれにいい点があり、効果の出方が違うかもしれないが、それは自分自身が体感して自由に決めるべきことではないだろうか。

お茶の効能をより強く感じるためには、ロングフォームメディテーションなどをして静寂のメディスンを身にまとってから飲むのがおすすめだ。内なる声がよく聞こえる状態を作ってからお茶を飲み、甘さ、苦さ、しょっぱさなど味をきめ細かく感じ取る。次にあと味、体の中に入ったあとどんな感覚になるのかにも目を向ける。リラックスするのか、だるくなるのか、覚醒した感じになるのか、そうした野草の持つ力すべてをしっかりと感じ取ることで、効果がより高まるのである。

材料

今回お茶にしたのは、オオバコの葉。ドライにはせず摘んですぐのものを使った。オオバコは、お茶にすると癖がない味で非常に飲みやすい。咳に効くと言われている

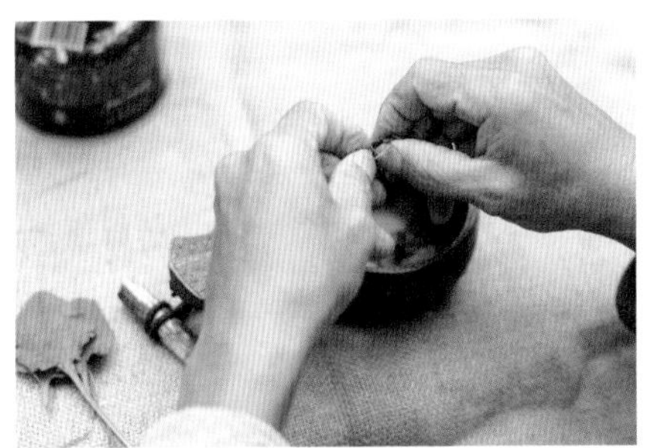

1

湯を沸かしている間に、葉を洗ってちぎる。ちぎると断面が潰れて薬効が出にくくなるという説もあるので、気になる人はナイフや包丁を使うといい。私はあまり気にしない

2

湯が沸いたら、火を止めてからちぎった葉を入れる。飲むときに口の中に葉が入るのがいやなら、空のティーバッグを購入して中に葉を詰めるといいだろう

3

必ず蓋をして15〜20分待つ。今回はアウトドアらしくコッヘルを使って淹れたが、家でなら蓋付きのタンブラーやマグカップがあると便利。アルミホイルで蓋をしてもいい

味の特徴と薬効の関係

薬効と味は実はとても強く関連している。例えば渋味だ。お茶として飲んでも、葉をかじるのでもいいのだが、渋みがあると口の中の水分を全て持っていかれるような感じになると思う。なぜあのような感じになるかというと、細胞がギュッと縮んで引き締まるからだ。それを効用として考えると、切り傷に塗れば傷が引き締まって治りが速くなるとか、炎症を起こした部分に塗ると肌が整うということになる。あるいは、肌の表面に限らず、喉が痛いときにうがいをするのに使えば炎症がおさまる効果もあるだろう。

アロエのようなぬめりがある野草もある。ぬめりがある野草というのはけっこう多いのだが、こうしたぬめりがある液は体の粘液に近く、やけどなど、肌の修復に効くと言われている。やけどはまず熱を逃さないといけないのでそこは気をつけなければいけないが、塗ると痛みが和らぎ治りが速くなるのである。また、ぬめりがあるということはツルンと滑るということで、摂取するとお通じがよくなるという作用も期待できる。あるいは、ほかの薬効成分と一緒に摂取することで、粘液質が細胞をカバーし、薬効の効き方をマイルドかつ長くするという利用法もある。

それから揮発性の芳香成分がある野草には香りがあるが、それを摂取すると体が匂いを嫌うのか早く外に出そうと血流がよくなったり、汗をかいたり、利尿作用があったりとあらゆる分泌が促進されると言われる。ただ、これが薬草のおもしろいところだが、血流がよくなってリラックスし眠くなる人もいれば、反対にすっきりして行動的になる人もいる。現代の薬のように、誰にでも同じように作用するとは限らず、だからこそ今の自分の状態に気持ちを向けることが重要になる。

野草のエネルギーを信じ、おいしくいただく。こういう味がするなら、こういう効能がある、と自分に言い聞かせると、心のメディスンで作用が倍増する

口に入れたときに苦味がある、ぬめりがある、精油成分を含んでいるなどの特徴があると、どのような効能があるのかがおおよそ想像できる

ハーバルインフュージョンの作り方

高濃度の薬草エキス

インフュージョンというアースハーブの利用法は、水という媒体に薬効を抽出する方法だ。というとお茶と同じように聞こえるかもしれないが、作り方はだいぶ異なる。使用するハーブの量がお茶よりはるかに多く、抽出時間もとても長い。その分薬効成分と栄養分が多く抽出されるので、スーパーフードとも言われている。普段水分補給のために使っているものの代わりに飲むのだが、栄養が豊富なため、一気に飲みすぎると体が吸収しきれず尿などで排出されてしまうと言われるくらいなので、少しずつ摂取する。

生の葉なら、おすすめはオオバコの葉、アカツメクサの葉、タンポポの葉などだろう。タンポポであれば、私は花も入れてしまう。作り方は、500mL程度の耐熱ガラスの保存ジャーを用意し、それがいっぱいになるくらいに細かく刻んだ野草を入れ（ギュッと詰めない）、そこに野草がすべて浸る量のお湯を注ぐ。乾燥しているハーブを使う場合は、ジャーの半分程度までハーブを入れてお湯を満杯になるまで注げばいい。そして必ず蓋をしてから一晩置いておく。朝になったらそれを茶漉しなどで漉して水筒などに入れて持ち歩き、少しずつ飲む。

ハーバルインフュージョンにはいろいろな作り方があるのだが、私はこの簡単な作り方が好きだ。これでは少ないと思う人は、もちろんもっと大きな容器で作ってもいい。簡単だし効果も高いし、とてもおすすめの方法なのでぜひ生活に取り入れてほしい。

ハーバルインフュージョンには、現代人に不足がちなビタミンやミネラルがたっぷりと含まれていて、スーパーフードとも呼ばれている。即効性のあるものではないので、毎日飲むのがおすすめだ

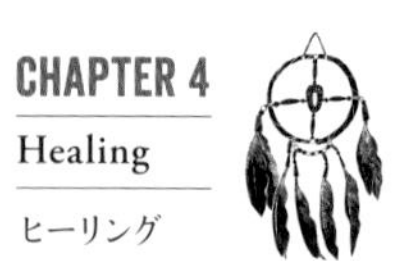

薬草軟膏の作り方

オオバコを使った軟膏

軟膏は、私が個人的にとても大好きなアースハーブの利用法である。作る工程も楽しいし、キャンプなどをするときに自分で作った薬草軟膏をファーストエイドキットに入れておくと、それだけで気分が上がる。ワークショップなどでこれを作れば、お土産としても喜ばれる。

我が家でも軟膏は大活躍していて、子供のオムツかぶれなどにてきめんに効く。我が家の子供たちは、少しでも肌に違和感があるとすぐに軟膏を塗り、これで一晩寝れば治るという。軟膏を塗れば治るという心のメディスンができあがっているのだ。

今回紹介するのは、オオバコを使った軟膏の作り方だが、使うハーブを変えれば違う効能がある軟膏が作れる。軟膏のいいところは、その薬効成分を1ヵ所に留めておけるということだ。だから、例えば虫に刺されたら、そこに塗り込むというよりは厚めに置いておくというイメージで使うと長い時間作用する。

軟膏の作り方にもいろいろあるが、今回紹介するのはホットメソッドと言われる方法。オオバコを入れたオイルを湯煎して成分を抽出し、それに自然素材のミツロウを加えて固めれば完成だ。オオバコの効能は、虫刺されや切り傷、痒み止め、かぶれなど。ラベンダーなどのエッセンシャルオイルを数滴入れると持ちがよくなるともいうが、私はオオバコの効き目だけを味わって勉強したい派なので、オオバコ以外入れないようにしている。

材料

オオバコの葉と花、エキストラバージンオリーブオイル、ミツロウ。オイルを湯煎するための鍋と湯煎できるカップやボウル、濾しガーゼ、軟膏を入れる缶、計量カップ、スケールも必要だ

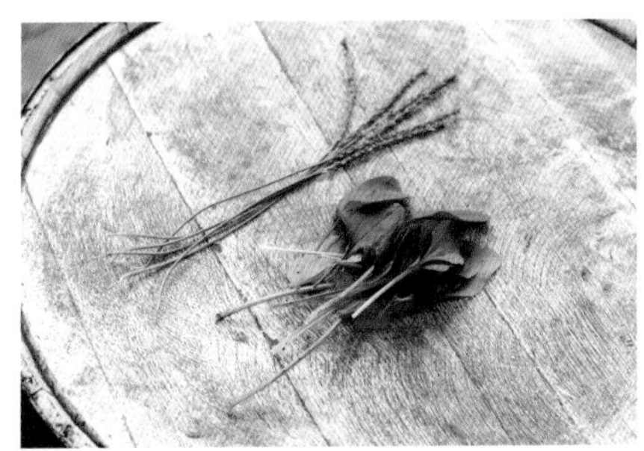

1

オオバコは葉を10枚ほど、花を5本ほど使った。水で洗うと軟膏に水分が入ってカビの原因になるので洗わないこと。土などの汚れは後で濾すときに除かれるので心配いらない

2

葉を細かくちぎる。屋外で作るときや子供と作るときは、ハサミを使うかちぎればOK。薬効成分をしっかり出すなら、切れるナイフで断面が潰れないように細かく切る

3

茎をしごくようにして茎から花を取る（花の部分を使用）。これも水で洗ってはいけない。汚れはあとで落ちるので気にしないように

NEXT PAGE

4

葉と花を入れたカップにオリーブオイルを加える。量は、野草全体がオリーブオイルに浸る程度。オイルが多すぎると薄くなってしまうので気をつけよう

5

オイルが入ったカップを湯煎する。直接オイルを火にかけるとただの素揚げになってしまうので注意。蓋をする場合もあるが、今回は水分をしっかり飛ばす目的で、このまま湯煎した

6

湯煎する時間は1時間弱。これでオオバコオイルができあがる。オイルが入ったカップを取り出し、カップの外側についた水分をキッチンペーパーなどでしっかり拭き取る

7

オオバコオイルを軽量カップに移し替える。出汁がらも一緒にガーゼに入れてしまう。カップに付いたオイルはヘラを使えば無駄なく利用できる

8

最後は漉しガーゼを絞って最後の1滴まで抽出。オイルでベタベタになるので使い捨ての手袋があるといい。絞ったら、どれくらいの量ができたのか計量カップで計る

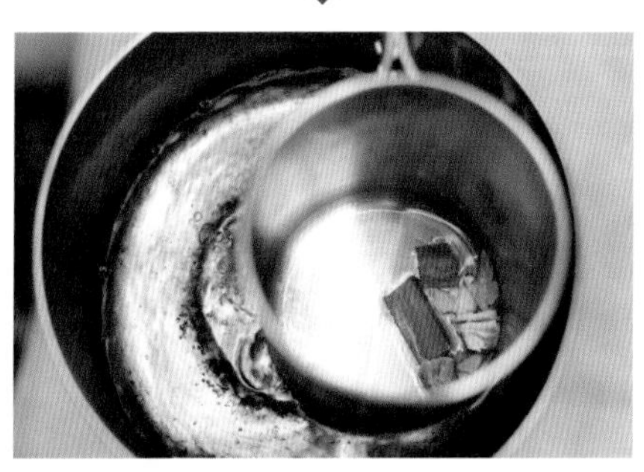

9

オイルを湯煎したカップにミツロウを入れて湯煎し溶かす。ミツロウの量はオイル10mLに対し1.5g。リップクリームのように濃くしたければミツロウを多く、マッサージ用に柔らかくしたければ少なくする

10

ミツロウが溶けたら、計量カップに入っていたオオバコオイルを加える。最初は分離しているが、湯煎を続けていると一体化する

11

透明になればできあがり。あとは容器に入れて固まるのを待つ。使用期限は半年ほどと言われているが、私は嫌な匂いがしない限り使っていて、効果もあると感じている

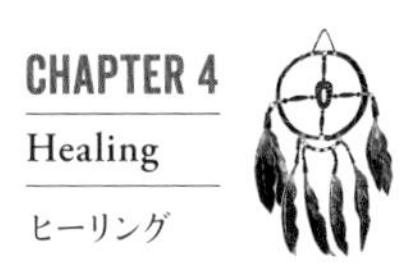

ハーブオイルの作り方

痛みに効くタンポポのマッサージオイル

タンポポの花を使ったハーブオイルはおもに痛みに効果があり、首や肩が凝ったときマッサージオイルとして使うほか、塗るだけでも効果がある。

作り方は、タンポポの花を摘んで保存瓶いっぱいまで入れ、瓶の縁までオイルを加えて待つだけだ。抽出に必要な期間には諸説あり、2週間でいいと言う人もいれば6週間漬けると言う人もいる。時間が経つほどかびやすくなるので、かびない程度でできるだけ長く漬ければいいだろう。これをコールドメソッドと言い、精油成分を含む野草はこちらの方法で抽出した方が良いとされる。

なお、蓋を絞める前にキッチンペーパーをかぶせ、タンポポに残った空気の逃げ道を確保。また、瓶は冷暗所に保管し、毎日1度はかき混ぜる。

タンポポは根、茎、葉、花の全てに効能がある貴重な植物。花を使ったタンポポオイルは、首や肩のこり、関節の痛みのほか、皮膚のただれにもいいとされている

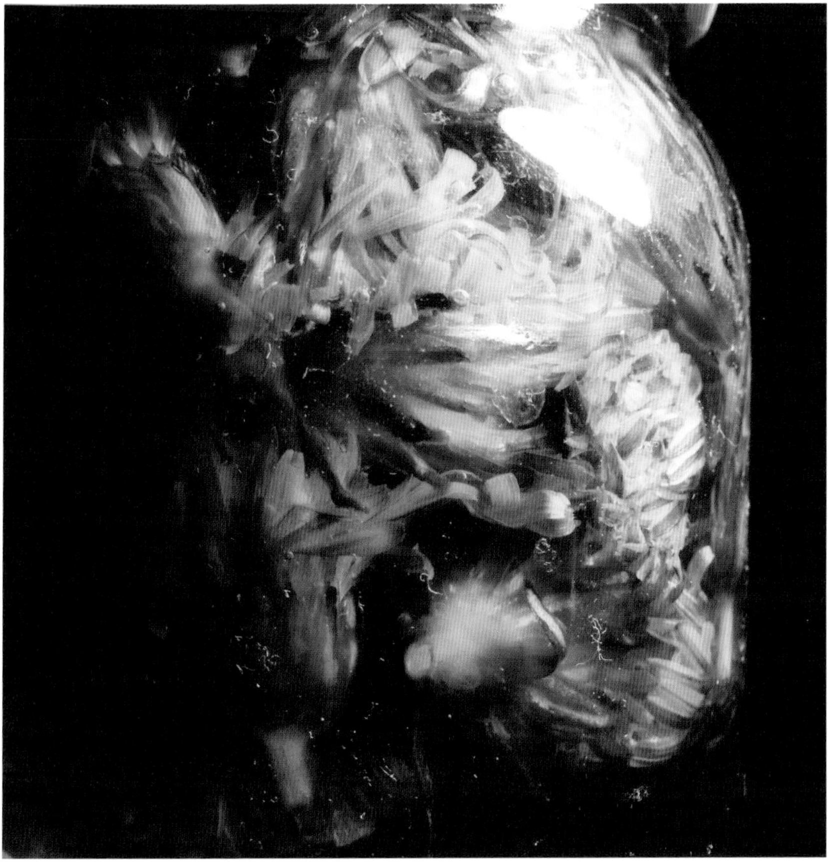

材料

野草を摘むときは、前日が晴れていて、当日も晴れている日の午前11時ごろにする。そうすると水分があまり含まれておらず、かびにくい。また、使用するオイルはエキストラバージンオリーブオイルがおすすめ

数週間抽出すると、黄金色のオイルができる。花は洗って乾かしてから使うという方法もあるが、そうすると失う薬効がある気がするので、洗わずに使う。作った日がわかるようにラベルを貼っておこう

ハーブチンキの作り方

セイタカアワダチソウのチンキの作り方

ハーブの効能をアルコールに抽出するのがチンキだ。私がこれを便利だと思うのは、出張や旅行に行くとき。ハーブティーやインフュージョンを旅先で作ろうと思うと荷物が増えてしまうが、これなら小さな瓶に入れて持っていける。私はスポイト付きの遮光瓶に入れていき、舌に垂らしたり、お湯に垂らして即席ハーブティーのように飲んだりする。

作り方は、抽出するのがアルコールになるだけで、ハーバルインフュージョンやハーブオイルと同じ。瓶いっぱいにハーブをギュッと押し詰めない程度に入れ、アルコールを加える。口に入れるものなので、漬ける前にハーブは洗って乾かしておく。抽出する期間は私は6週間としている。

私がとくに気に入って使っているのは、セイタカアワダチソウとメマツヨイグサ。この２つには本当に助けられている

ハーブティーなどは喉や胃など直接触れる部分に作用するが、チンキはそれ以外の部分、例えば肺などにも作用すると言われている。チンキは日持ちもするし携帯もしやすいし、とにかく便利。我が家では何種類も作り置きしている

材料 必要なのは、セイタカアワダチソウとアルコール。セイタカアワダチソウは、花がつぼみのときに摘むのがいいと言われている。アルコールについては、私は度数50%のウォッカを使用している

身近な薬草の一部

オオバコ

あぜ道などに大量に生えている。利尿、鎮咳、消炎、整腸などさまざまな効能がある万能ハーブ。切り傷や擦り傷に葉を直接押し当てると血が止まり痛みも和らぐ

タンポポ

日当たりのいい場所に生える多年草。根は肝臓、葉は胃、腎臓、肝臓、花は美肌効果や鎮痛効果がある。茎を折ったら出る白い液を塗ると、イボやウオノメが取れる

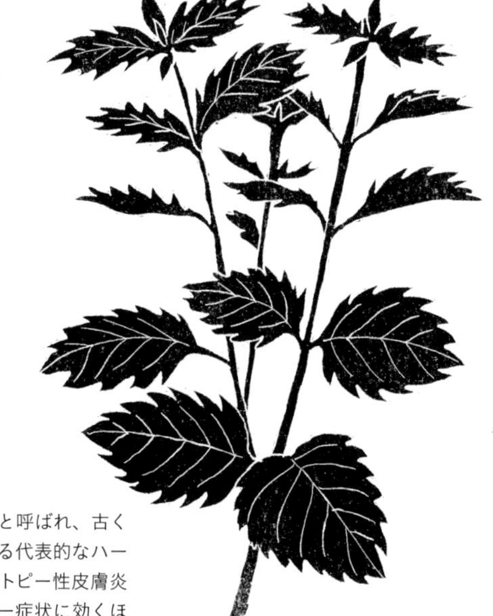

イラクサ

西欧ではネトルと呼ばれ、古くから使われている代表的なハーブ。花粉症やアトピー性皮膚炎などのアレルギー症状に効くほか、血糖値を下げ糖尿病にも効果があるとされる

アカツメグサ

日当たりのいい土手などに生え、しばしば群生する。使うのは主に花とそのすぐ下にある3枚葉。腎臓、心臓、肺などに作用し、浄血作用や利尿作用、消炎作用がある

スギナ

ビタミン、ミネラルを多く含み、カルシウムの量がホウレンソウの150倍ともいわれている。利尿作用があり、体の毒素を排出するのに役立つ。万能薬として名高い

ハコベ

食用植物としても知られるハーブ。抗菌作用、止血作用、解毒作用があり、美肌にも役立つ。粉末に塩を混ぜたものは、古くから歯痛や歯槽膿漏の予防にも使われてきた

松の葉

葉緑素（クロロフィル）、酵素、ビタミンなど多くの栄養を含み、古くから長生きの薬として知られていた。お茶として服用されることが多く、滋養強壮や血液浄化に役立つ

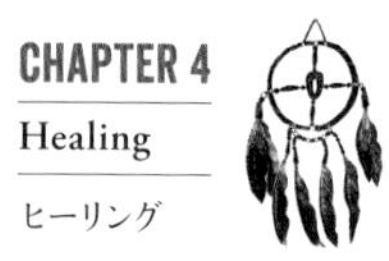

セイタカアワダチソウ

ブタクサと間違えられるが、虫媒花なので花粉が飛ぶことはない。むしろ抗アレルギー作用があり、喘息やアトピー性皮膚炎に効く。腎臓炎や膀胱炎の改善にも役立つとされている

ヨモギ

日本中どこにでも生えているハーブの代表格。老廃物を排出し、むくみの改善やダイエットに効果がある。そのほか造血、代謝の活性化、咳止めなど多くの効能がある

カラムシ

上質な繊維がとれるため、古くは生地の材料として使われたが、栄養豊富で味もよく食用にも適している。解熱、利尿、止血、抗菌などさまざまな効能がある

ギシギシ

川沿いの土手などやや湿った場所を好むハーブ。抗菌作用、緩下作用があり、根を煎じて飲むと胃痙攣や便秘に効果がある。湿疹やかぶれ、水虫など、肌の病気の改善にも

イノコズチ

本州、四国、九州に分布する野草。根には利尿、通経、強壮、鎮痛作用があり、月経不順に効果があるとされている。妊婦が多量に摂取すると流産の危険があるので注意

購入して楽しめる薬草の一部

カモミール

世界中で古くから薬用に使われるハーブ。日本ではカミツレと呼ばれる。頭痛や風邪に効くほか、独特の香りが不眠や不安にも効果的

ゴボウ

根や葉にタンニンを含み、消炎、解毒、鎮咳、利尿作用などがあるとされる。乳酸菌を増やすフラクトオリゴ糖や繊維質も豊富

※ここで紹介している効能は個人個人で変わってくるので、実際に試して得られた効果と異なる場合がある

メディスンホイールという考え方

自然の法則を象徴

メディスンホイールは、ネイティブアメリカンの人々の世界観を表すものの1つ。円の中に十字を描いたデザインで、自分が存在しているのが円の中心。そして左が東、上が南、右が西、下が北を表している。どちらを北にするか決まりはないが、ここでは北を下とさせていただこう。ネイティブアメリカンの人々は、東西南北それぞれの方向に偉大なるスピリットが住んでいると考えていて、それぞれのスピリットが自分にメディスン、つまり「栄養」を与えてくれると信じていた。

それぞれの方角が何を表すのか。まず東が象徴しているのが始まりだ。そして南は外見的成熟をもたらす場所、西は内面的成熟をもたらす場所、最後の北は浄化を象徴する。

例えばメディスンホイールを1日の生活に照らし合わせてみよう。早朝、東から日が上り暖かさと光が人々を包むと歌いたくなるほど嬉しい気持ちになる。それは鳥も同様で、騒がしく鳴き声をあげて空を飛び交う。そうして生き物の動きが活発になるエネルギーを持つのが東である。

そして太陽が南に高く上がるころには、動物たちの動きは一段落。大いなるなまけの時間と呼ばれ、生き物の活動が穏やかになる。さらに時が過ぎ日が西に落ちるにつれ、内へ内へとエネルギーが働き始める。一方、生き物たちは動けなくなる夜を前に活発に活動するようになる。太陽が北へと去った夜は浄化の時間。光は焚き火だけなのでもう手作業はしない。焚き火を囲んで知恵を交換しあい、明日を迎えるために自然と眠りにつく。

このようにメディスンホイールは1年の移り変わりにも例えられるし、人の一生にも例えられる。それはネイティブアメリカンの人々にとって大切な物語のメディスンだったのである。だが、現代人である我われも、その教えに従って生きればまた自然と1つになれるはずだ。朝起きて外見を整える作業をし、昼は休み、夕方に向けて自分と向き合い、夜は明かりを使わず己を浄化する。難しいかもしれないが、いつかそんな生活を送れるようになりたいと私は思っている。

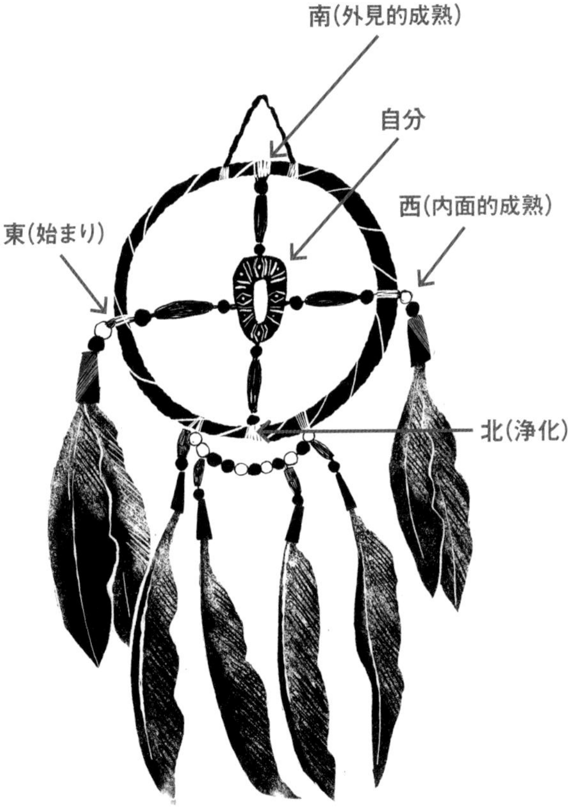

メディスンホイールは、さまざまな自然の物語を表すものである。ここでは言葉で説明をしているが、頭で受け止めず人それぞれがイメージで受け取り消化してもらいたい

サンクスギビングの祈り

自然に対する感謝の気持ち

ネイティブアメリカンの人々の感謝の祈りは、そうしようと思って出るのではなく、自然に体の奥から湧き上がってくるものだという。ネイティブアメリカンのショーニー族の酋長だったテカムセという人が、次のような有名な言葉を残している。

「朝起きたら、太陽と自分の力にまず感謝することだ。もしどうしてそうするのかがわからないとしたら、何かが根本的に誤っている」。

長期間キャンプをしたことがある人なら経験があるかもしれないが、自然の中で眠ると不思議なことに朝早く、日が上る直前に起きてしまうことが多い。そうして早く起きると当然その日の夜は眠くなるのも床に入るのも早くなる。それが繰り返されると、少しずつ生活が自然のサイクルに合っていく。ちなみに、いつもテントで眠る人にぜひやって欲しいのが、空が見える状態で野営をすること。そして焚き火や最小限の明かりだけで過ごすことだ。そうして太陽や月の動きを感じて過ごしていると、なおさら自然界のリズムに馴染みやすくなる。

そうして焚き火だけの明かりで夜を過ごすと、自然と眠くなり、きっと眠りも深くなる。そして、自然に合った早寝早起きの生活サイクルになると、朝の感じ方がとても清々しく感じられるようになる。朝方に太陽が登ってくると、本当にありがたいという気持ちが心の奥底から湧いてくるのである。

ネイティブアメリカンに限らず、原始的な生活をしている人々が目覚めるのも、夜明け前である

自然に寄り添って生きていると、自然の偉大さとありがたみを実感する。それに対し感謝をし祈りを捧げるという行為は、ネイティブアメリカンの人々にとって当然のことであった

ことが多い。とく冬の明け方は寒くて眠れないので、暗い内に起き出して火をおこしそこに集まるという習慣を多くの部族が持っている。彼らにとって、太陽がもたらしてくれる温かさと明るさは格別のものであったろう。

朝、鳥たちが騒がしく鳴くのは、縄張りを誇示しているという考え方以外に、ネイティブアメリカンの人々は次のようにも考えている。鳥たちは、夜が明けて心から湧き出てくる喜びを抑えきれずにあれほど鳴くのだという。自然の中に暮らすネイティブアメリカンの人々は、自然が自分を生かしてくれているのだということを、理屈ではなく体で感じている。だから1日の始まりとは残りの命の始まりでもあり、これから素晴らしい日々が続くという活力と歓喜が湧き上がる。そしてそれが自然に祈りとなるのである。

残念ながら、現代ではその歓喜を味わうことはできないが、その片鱗を感じさせてくれるエクササイズがある。それがサンクスギビングである。

祈りのエクササイズ

サンクスギビングのやり方はこうである。まず次に挙げる自然の要素のリストをノートに書く。太陽、月、空、星、雲、雨、水、風、大地、木々、植物、動物、鳥、そして自分を含めた人々、東西南北、そしてそれらすべてを含む存在であるグレートスピリット。そして、リストにある要素の1つ1つに対して感謝をし、祈りを捧げる。

まず太陽。最初にもし太陽がなかったらどうなってしまうのかを想像してみて欲しい。例えば、ずっと真っ暗なままで過ごさなくてはならない。真っ暗なので植物が育たないかもしれない。寒さで凍えてしまうかもしれない。そんなことに考えを向け、太陽のありがたみをしみじみと感じてほしい。太陽がなくなったらどんな世界になってしまうのか、それを頭で考えるのではなくエンビジョンして体でしみじみと感じるようにする。そうすると、改めて太陽というものが本当にありがたい存在であるということがわかり、感謝の気持ちが生まれる。そして太陽を終えたら、次も同じように、月がなかったら、空がなかったら、星がなかったら、というように自然の要素1つ1つのありがたさを感じ、祈りを捧げるようにする。

このエクササイズを行っていると、驚くほど自分の気持ちが清らかになっていくのがわかる。対象に対して感情移入をすればするほど心がすっきりし、自分にとって必要なものというのは、すでに全てが自然の中に揃っているという気持ちになってくるのである。

コツは感謝の気持ちを言葉に出すこと。体の中から感謝の気持ちが自然に湧いてきて、それを自然に言葉にすることで形となり、物語になる。物語の持つメディスンというのはとても強い力を

自然を構成する要素に対し、もしそれがなかったらどうなるかを想像する。それが感謝の祈りを呼び起こし、自然へのアウェアネスにもつながる。人間の根本に作用する、すばらしいエクササイズだ

持っているのである。

とはいえ、中にはどうして感謝をしなければならないのだろうと思うものもあるはずだ。例えば、東西南北に対して何をどうやって感謝すればいいのかわからないという人も多いだろう。しかし、そうやって考えること自体がこのエクササイズの目的でもある。大切なのは、祈りをやめないこと。方角に対し、なぜ祈りを捧げるのかという問いをどんどん掘り下げていって欲しい。東西南北が自分に何をもたらしてくれるのかわからなくても、感謝する気持ちを持ち続けていると、いつしか方角との関係が深くなり、何かしらのイメージが湧き上がってくるはずだ。そしてそれが今度はアウェアネス、気づきに繋がってくる。

自然全体へのアウェアネス、自然全体のエネルギーというものをよりピュアに感じることができるようになるのがサンクスギビングである。もし時間がないようであれば、太陽に祈るだけでも構わないので、ぜひやってみていただきたい。

おわりに

師匠であるトム・ブラウン・ジュニアが、一番最初の講義でこんな質問をしてきた。「この中で『自然が好きだ』という者は手を挙げてみろ」。私を含め、全ての生徒が手を挙げる。「では今日の風はどっちから吹いていた？」。

さっきまで全員外にいたのに、誰も答えられない。

「そうか。自然が好きか。いつでも、どこに居ても、ある意味『一番傍にある自然』の事も気にかけないのに？　自然が好きか…」。

何だかハンマーで頭を殴られたような気がした。そしてこの、ある意味「意地悪」な質問こそが、トム師匠が一番伝えたかったことなのだと思う。

自然の中で、何も持たずにサバイバルするには、あらゆる自然の要素から力を借りないといけない。太陽、風、4つの方向、木々、その他すべてが命の恩人となり、自然こそが1番の関心事に変わる。「自然」に対する豊かな「アウェアネス」が必然的に生まれる。そして「自然」には、動きや流れが常にある。その動力はもちろん機械ではなく、いわば生命によるもので、すなわち「意思」によるものである。彼らがグレートスピリットと呼んだその「意思」の力は、果てしなくエネルギッシュで懐が深く、矛盾というものが入り込む余地も全くない。そんなパワフルな意思、グレートスピリットと自分が同調できた時、きっと自分の中から「歓喜」が湧き上がってくる。

フルサバイバルは達成すべきものでなく、その「歓喜」を垣間見せてくれる、素晴らしい手段、遊びなのだと思う。

私が心の底から素晴らしいと感じている世界観を、この本を通じて共有できたとしたら、ものすごく嬉しい。もしそうだとすれば、本の製作に関わってくれた方々はもちろん、師匠であるトム・ブラウン・ジュニア、ジョン・ヤング、一緒にこの道を追求してきた先輩方や仲間たち、講習に参加してくれた方々、家族、友人、その他私と少しでも関わってくれた人々、誰が欠けたとしても実現しえなかったと断言できる。その人々を含めた大いなる存在、グレートスピリットに、心の底から、絶え間ない、果てしない感謝の気持ちを捧げたいと思う。

川口 拓

スクール紹介

本書の内容をもっと深く体験したい方は、著者が主催するさまざまなスクールへ、ぜひ足を運んでみてください。

WILD AND NATIVE

ネイティブアメリカンの教えを基礎とした、Nature & Survival スクール。フルサバイバルをテーマに、アウェアネス、トラッキングを体験しながら、自然と共に生きる術に触れるワークショップを通年開催している。オンライン学習サイトもある。

https://wildandnative.com/

Japan Bushcraft School

著者が校長を務める、サバイバル術で楽しむキャンプスタイルである「ブッシュクラフト」をゼロから学べるスクール。ナイフ、タープ、ロープやコッヘルなど、最低限の道具を使用した原始的なキャンプで、遊びながら有事に役立つ技術を学ぶ。インストラクターコースなども開催している。

https://bushcraft.jp

Japan Urban Survival School

「都市災害を生き延びる」をテーマに、自然の中とは違った、都市におけるサバイバル術を学ぶスクール。インストラクター講習なども開催している。

https://juss.jp

NANUTE Natural Healing and Medicinal Plant Academy

健康とは自然全体と一体化している事であるという大地の教えを基礎にした、ナチュラルヒーリング＆薬草をゼロから学べるスクール。オンラインスクールも随時開催。

http://nanute.com

WILD MIND GO! GO!

生き物としての力を取り戻すための自然体験を集めた、体験メディア。カシオ計算機株式会社が運営。著者も多数寄稿している。

https://gogo.wildmind.jp/feed

川口 拓（かわぐち・たく）

自然学校「WILD AND NATIVE」を主催し、地球とのつながりを感じる自然体験プログラムを実施。2013年、一般社団法人「危機管理リーダー教育協会」を設立。テレビ、雑誌などメディアへの企画協力や出演も多数。CMLE災害対策インストラクター養成トレーナー、CMLEブッシュクラフトインストラクタートレーナー、自衛隊危機管理教官、自衛隊サバイバル教官。著書に『ブッシュクラフト－大人の野遊びマニュアル』『民間人のための戦場行動マニュアル』（ともに誠文堂新光社）などがある

編集　原 太一
装丁・デザイン　草薙伸行（Planet Plan Design Works）
イラスト　ササキサキコ
協力　(有)SOU
北山元章
ライジングフィールド軽井沢
御前山青少年旅行村

参考文献
Tom Brown Jr., *TOM BROWN'S Field Guide to Wilderness Survival*, Berkley, 1987.
Joy Yong & Tiffany Morgan, *ANIMAL TRACKING BASIC*, Stackpole Books, 2007.

原始の感覚を取り戻す知覚と精神のトレーニング

ワイルド・クエスト
―ネイティブアメリカンのフルサバイバル術

2023年6月19日　発　行　NDC786

著　　者　WILD AND NATIVE 川口 拓
発 行 者　小川雄一
発 行 所　株式会社 誠文堂新光社
〒113-0033 東京都文京区本郷3-3-11
電話 03-5800-5780
https://www.seibundo-shinkosha.net/
印刷・製本　図書印刷 株式会社

ISBN978-4-416-52351-3